Adieu l'amour

DU MÊME AUTEUR

Un été sans histoire, Mercure de France, 1973.

Je m'amuse et je t'aime, Gallimard, 1974.

Grands cris dans la nuit du couple, Gallimard, 1976.

La Jalousie, Fayard, 1977.

Une femme en exil, Grasset, 1979.

Divine passion, Grasset, 1981.

Envoyez la petite musique..., Grasset, 1984.

La Maison de Jade, Grasset, 1986.

MADELEINE CHAPSAL

Adieu l'amour

roman

Fayard

*Je voudrais pas crever
sans avoir mis mon zobe
dans des coinstots bizarres...*

Boris VIAN.

*Un souffle disperse les limites
du foyer.*

Arthur RIMBAUD.

Charles et Ida

C'était le week-end de Pâques.

La tension nerveuse était tellement montée entre nous, ces derniers temps, que nous n'avions pas eu la force d'aller plus loin que les environs de Paris, dans cette maison vide prêtée par des amis.

Pâques, c'est la fête de la Résurrection. Pour l'instant, c'était plutôt celle du Saint-Sépulcre. Il pleuvait sans arrêt.

J'avais lu et relu les hebdos, devant le feu où je croyais voir mes rêves achever de se consumer et tomber en cendres, comme si j'étais déjà à la retraite.

D'où, brusquement, le besoin de marcher.

Pour nous lancer sous cette cataracte de flotte — un *bouillard*, dit-on dans la région —, nous avions déniché dans un placard des bottes de bateau, des cirés, et je m'étais installé sur le crâne une sorte de fichu transparent à cordelette, comme en portent les mémés qui se moquent de tout sauf de leur mise en plis.

— Ah non ! Pas ça ! Pas toi ! m'a dit Ida.

Et elle a prestement échangé ma coiffure tarte contre un chapeau en plastique américain qui avait de la gueule.

Puis elle s'est mise à me considérer avec appréciation. ⁻

Ce qu'il y a de plus dur au monde, pour un homme, c'est de quitter une femme.

Surtout quand elle est plus âgée que vous et qu'on n'a pas d'enfant. Qu'on est « son » enfant, en somme, en plus de son amant.

Elle devait quand même le savoir, que nous ne vieillirions pas ensemble ! C'était évident pour tout le monde, même pour moi ! Alors, pourquoi pas pour elle ?

Les chemins forestiers étaient si boueux, avec cette sacrée pluie qui ne cessait pas depuis trois jours, que nous finîmes par prendre la route.

Moi devant, enfin seul, puisqu'on n'était plus côte à côte ! Mais je sentais son regard sur ma nuque. Elle devait, comme à son habitude, me détailler avec satisfaction, en se pourléchant mentalement les babines. J'étais à elle, rien qu'à elle, pour deux jours encore.

Sur l'asphalte, au moins, on n'enfonçait pas.

Ça n'était plus l'engluement. L'engloutissement.

Cet atroce marais de l'amour où je me voyais en train de disparaître, avec rien qu'une ou deux bulles à la surface pour témoigner que là, en cet endroit, il y avait eu un homme.

Avant de partir, j'étais passé voir Bobo.

Dans l'espoir qu'il accepterait de nous accompagner pour faire le tiers, entre Ida et moi, comme il l'avait fait si souvent, avec tant d'élégance et de discrétion.

Cette fois, il avait refusé. Mais que je ne m'inquiète pas, m'avait-il dit, il ne se sentait pas plus mal. Je ne m'en faisais d'ailleurs pas outre mesure, j'avais fini par m'habituer à son aspect sépulcral.

Du moment qu'il vivait.

Je marchais exprès dans les flaques, floc, floc, pour éprouver l'étanchéité de mes bottes, et je me suis soudain dit que je me trouvais entre deux sursitaires. Mon amour pour Ida. Et Bob.

Personne n'avait donné de délai, pour Bob.

C'est au-delà des possibilités médicales et scientifiques de dire, à un type atteint par la maladie la plus moderne du siècle, pour combien de temps il en a.

Ce sacré rétrovirus — où la mode rétro ne va-t-elle pas se nicher ? me dis-je en donnant du pied dans un caillou —, quand il a décidé de muter et de grimper du singe vert jusqu'à nous (je n'ai jamais aimé le vert, couleur de la poisse), il devait le savoir que nous possédions désormais des microscopes électroniques et des ordinateurs à grande puissance, capables de décrypter les messages de l'ADN comme nos yeux les gros titres des journaux ! Alors il a vite évolué

pour nous larguer haut la main, côté codifica-
tions génétiques et autres performances infor-
matiques.

Les jeunes ont beau passer de studieuses
années devant leurs gros *Mac*, dans les universités américaines — ou soviétiques, s'il s'en
trouve pour les recevoir —, face au virus du
Sida, c'est bonnet blanc et blanc bonnet.

Comme si nous étions de retour à l'époque
du choléra et de la peste — qui sont la même
chose — avec, toutefois, un immense progrès
sur nos ancêtres : ce mal-ci, on sait comment
ça s'attrape !

Par l'intimité des muqueuses.

De la même façon qu'on fait les enfants.

« Touche pas à mon pote ! », c'est la petite
pancarte que j'aurais dû accrocher au cou de
Bob, pour que personne ne s'approche de lui.
Personne, absolument personne. Ni homme, ni
femme, ni virus, ni la mort.

On voudrait s'aimer, nous les hommes, les
femmes, les enfants, les vieux, les Blancs, les
Noirs, les Jaunes et ce qui reste de Rouges. On
se le dit, en tout cas, on le proclame jusque
dans la rue, et dès qu'on veut passer à l'acte, la
nature nous arrête — faut croire que c'est ça,
notre vrai fin fond : « Halte-là ! Un pas de plus
et c'est la mort ! »

Avec Ida aussi, j'étais peut-être allé trop loin
dans le muqueuse à muqueuse.

Un pas de plus, et c'était la mort.

Nous avancions sur la grand-route — en fait, la route départementale — quand je m'aperçus soudain que nous allions passer devant la minuscule mairie de ce minuscule lieu-dit. Une bâtisse pour rire, une mairie de poupée que je connaissais depuis mon enfance et où Ida, chaque fois que nous roulions devant en voiture, me faisait observer qu'il ne devait y avoir de place que pour le maire, les mariés et leurs témoins.

Je savais très bien ce qui se dissimulait sous cette remarque en apparence anodine.

Ida aurait tant aimé se marier là, un jour, avec moi. Pour faire une fin. La sienne. Et la mienne !

Cette fois, elle ne dit rien. Je remontai pourtant les épaules sous mon ciré, comme si la pluie s'était intensifiée. Liberté, égalité, fraternité. Bleu, blanc, rouge. La trinité est toujours présente quand il s'agit de se faire prendre au piège. Papa, Maman, moi. Elle, moi, un enfant...

Nous marchions vite, mais je hâtai encore le pas, nez au sol, pour ne plus la voir, cette petite mairie de campagne ruisselante et seulette sur son carré d'herbe verte.

Inutilisée la plupart du temps, on sentait qu'elle avait à cœur de tenir bon, pour rappeler aux oiseaux et aux lilas alentour que la Loi est partout. L'institution régnante. Et les vaches bien gardées.

C'est en raclant mes bottes sur le grattoir et en secouant devant la maison mon ciré dégoulinant d'eau douce que je me le suis enfin dit : que je ne pouvais plus supporter de vivre avec Ida.

Mon irritabilité et cette grandissante nervosité qui me faisait claquer les portes, égarer les objets, quand je ne les cassais pas, ne le hurlaient-elles pas nuit et jour ?

Cette façon aussi que j'avais, le soir, de donner un grand coup de poing au centre de mon oreiller avant d'y enfourner ma tête, puis, dans un saut de carpe, de prétendre m'endormir dans l'instant pour me redresser un quart d'heure après en rallumant violemment la lumière et en criant : « Mais où as-tu mis le somnifère ? », n'aurait dû égarer personne.

Si je n'avais pas fait tout mon possible afin de l'égarer, elle...

L'effort pour rendre l'autre fou !

Car c'est comme ça qu'on fabrique les petits schizophrènes : avec les mots de Maman qui disent une chose et ses gestes qui proclament le contraire...

Moi, je ne cessais de répéter à Ida : « Demain, après-demain, nous aurons notre maison à nous... Je gagnerai beaucoup d'argent et je t'emmènerai voir la Grèce, la Chine, les Pyramides... Tu verras... tu verras... tu verras... »

Paroles de menteur qui n'étaient que ma main

sur ses yeux pour qu'elle ne voie pas, pas encore, pas tout de suite — elle, si aiguë — que je ne l'aimais plus !

Ni que je me sentais mourir de ne plus l'aimer, même si j'étais prêt à tout pour survivre.

C'était de mon âge, non, la vie ?

Mais ne plus la voir...

Comme l'autre, là, ma mère la lâcheuse, la disparue ! Celle dont le visage inconnu me brûlait sans arrêt les tripes sans que j'arrive à en accoucher une bonne fois. Moi, son fils !

Ma mère, à jamais sans visage.

Longtemps, je l'ai cherchée dans les glaces. Lui attribuant ce que je préfère en moi, mes cheveux fins et ces yeux vert-bleu au regard pourtant sombre.

— Tes yeux d'horizon, dit Ida.

Ou alors, je l'accuse de ce que je déteste, ma légère mollesse du menton que je compense en crispant les mâchoires au point de me mordre jusqu'au sang.

Ida, au moins, je la connais.

Connaître les gens, c'est plus pratique, non, pour les oublier ?

— A quoi penses-tu ? finit par me dire Ida alors que je présentais en silence mes mains, mes pieds au feu de bois réalimenté par ses soins, puis par les miens, puis par les siens — elle en faisait toujours un coup de plus que moi ! En tâchant aussi d'y réchauffer mon âme, qui avait bien besoin d'un brasier d'images viriles, ces temps-ci.

Pour ce qui est de mon père, j'avais son nom.

Celui que convoitait Ida.

— Moi ? A rien du tout... Je trouve qu'on est bien... Pas toi ?

Une fugitive lueur d'étonnement passa sur ce visage trop attentif. Un beau visage, « un peu tapé », aimait-elle dire pour me montrer qu'elle était lucide — tu parles !

Avec ses cheveux mouillés, collés sur son front par la pluie comme une couronne d'algues, elle avait l'air d'une noyée.

C'est vrai qu'elle devait commencer à couler, dans notre grande passion à bout de souffle ! Je le voyais à ses gestes moins précis, tâtonnants parfois, sans but.

Eh bien, qu'elle se noie sans moi !

Moi, j'aimais les femmes. Toutes les femmes.

A douze ans, déjà, j'avais envie de les bousculer, les toucher, les taquiner, les embêter, les respirer, les posséder quoi, les filles !

Une fois que l'une ou l'autre s'était laissée prendre et commençait à me coller, c'était une autre histoire. J'étais comme le type qui sent courir sur lui une armée de fourmis ou une grosse araignée ! Et je n'avais pas assez de mains pour rejeter l'intruse, de contorsions pour l'extirper de ma vie et de mes affaires...

Si elle avait voulu s'accrocher, je crois que je l'aurais écrasée comme on fait d'un insecte trop têtu.

Mais, jusque-là, j'avais eu de la chance, aucune n'avait insisté !

Ida... Eh bien, Ida n'était pas un insecte.

Ni l'une de ces créatures, putes, invertis, ou même travestis que j'aimais rencontrer, certaines nuits, pour me secouer les nerfs dans une rapide décharge.

Un peu de gégène aux bons endroits.

Après, on les paie pour qu'elles foutent le camp, comme on les a payées pour qu'elles vous traitent.

— Qu'est-ce que tu veux que je te fasse, mon chéri ?

— Fais-moi jouir comme si j'étais une fille.

Une fois mon pantalon remonté, et la main dans ma poche pour en tirer mon portefeuille, je redevenais un homme.

Est-ce qu'une femme peut comprendre ça ?

Le feu s'écroula dans la cheminée.

Doucement, pour ne pas me réveiller, Ida remit les bûches en place. Mais c'était une violente, elle aussi, et quand elle faisait doucement, c'était encore pire que lorsqu'elle se laissait aller à son emportement naturel.

Je poussai un faux grand soupir de vrai dormeur, me retournai dans mon fauteuil. Grondai un peu... Et plongeai avec jouissance dans la fuite en avant...

Celle qui était en trop dans ma vie, me voyant décoller sous ses yeux — ce qu'elle dut appeler « m'endormir » ou « prendre un petit repos bien mérité » —, poussa alors le sadisme amoureux jusqu'à m'arranger autour du cou, comme on passe une longe à un animal, sa propre écharpe à carreaux.

Comme pour me retenir, la pauvre femme.

Le rêve de Charles

La voiture bondissait sur le chemin de terre, à se décrocher les rétroviseurs. Elle est noire. Je parle de la voiture. Avec deux téléphones et un chauffeur. Noir. Le chauffeur. Les autres sont à moto. On dirait une course de cross. Ils se prennent un de ces pieds, mes motards ! Ça n'est pas mon cas. J'aurais dû mettre un pardessus plus épais. Le poil de chameau, ça en jette, mais c'est trop mince. Surtout quand ça n'est pas doublé.

Mais on n'est pas chez sœur Emmanuelle... assez parlé chiffons ! On est... Où sommes-nous ?

— Jean-Marie !

Il devrait s'appeler Abdullah, celui-là, si sa maman n'avait pas rêvé au-dessus de son bronzage...

— Je croyais qu'on allait au château ?

— Nous y ahivons, Monsieur, mais par l'ayère...

Tous les chemins mènent à Étienne !

— Charles ! dit-il en me tombant dans les bras après avoir repoussé d'une main son daim apprivoisé, de l'autre son labrador, qui l'est moins.

Je m'appelle Charles. Comme Trenet. Et aussi ce type étoilé qui fait encore rêver la France. Charles, un prénom auquel on a toujours envie d'accoler une épithète, par exemple le Téméraire.

Je l'étais assez peu en me rendant à l'invitation d'Étienne. Il a toujours des inventions, ce vieux gosse de riches, à laisser rêveuse Action Directe.

— Montons, me dit-il, c'est plus sûr !

Nous voici dans son bureau que je connais bien. Le mur est constellé de trophées qui ne sont pas de bois, comme chez feu la duchesse d'Uzès, mais de plâtre... Des jambes (de femmes) et des bras (idem)... Rien d'autre ! Tout n'est qu'académie féminine. Des moulages, paraît-il. Admirables et chacun d'un ton de chair différent. Ce que l'espèce est variée, tout de même !... Au-dessus de chaque porte, en guise de tenture, des chevelures, tantôt nattées, tantôt libres, ou frisées au petit fer. Il y a la porte blonde, la porte brune, la porte rousse...

Ne manque que les odeurs. Étienne m'a avoué avoir essayé une fois, quelques vaporisations *sui generis*. Jusqu'au labrador qui avait pris la fuite... L'*odor di femina* ne se supporte qu'à doses infinitésimales, comme dirait François Jacob. (Je ne loupe jamais un *Apostrophes*.)

— Que vous êtes bon, mon bon, d'être venu aussi vite !

— Vous aviez l'air angoissé, Étienne ! Et puis, les désirs de mes amis sont les miens, surtout quand je n'en ai pas...

— Vous avez raison, Charles ! Pour ce qui est des désirs, j'en ai à revendre, mais à vous je vous les prête.

— Et sans intérêts ! me jeta-t-il par-dessus son épaule en m'entraînant dans le petit cabinet attenant à son bureau.

C'est là que ça se corse.

Toujours.

J'ai vu Étienne débrancher rapidement une

assez grande quantité d'appareils. C'est sa façon de créer l'intimité et j'apprécie son attention. Bien que je le soupçonne de conserver, à toutes fins inutiles, des caméras cachées.

Quelque chose est venu me lécher la main. J'ai fait un bond de deux mètres. La dernière fois, c'était une petite naine muette qui m'apprenait ainsi que mon café était servi. Cette fois, c'est le labrador qui souhaitait me rappeler que si je prenais mon café sans sucre, lui prendrait volontiers du sucre sans café... Ah, si toutes les transactions pouvaient être aussi simples !

— Il s'agit d'une femme..., commence Étienne.

Là, je me suis convenablement calé dans mon fauteuil. Si Étienne disait « une femme », c'était l'embarquement pour la Lune. Sinon, il aurait dit « pépée », « nénette », « nana », « grognasse », « fille », ou n'importe quel mot d'arrière ou d'avant-garde pour désigner ce que lui et moi ne sommes pas.

Je l'ai même entendu parler de « pensionnaire », de « lécheuse », d'« enrobée », et l'étonnant c'est que je comprends tout de suite ! Mais « une femme », chez lui, c'est rare. Il doit être atteint.

— Qui est-elle ?
— Je n'en sais rien.
— Que savez-vous d'elle ?
— Rien.
— De quoi s'agit-il ?
— Je ne sais pas...

Si je n'avais pas été aussi pressé par les petits et gros besoins de ma fonction, je lui aurais dit : « Allongez-vous, mon bon ami, on commence la séance tout de suite ! » Mais — outre mes urgences — il n'y a pas de divan dans le cabinet d'Étienne. Sans doute parce qu'ils sont tous regroupés ailleurs.

— A quoi puis-je vous être utile, Étienne ? dis-je en me voyant déjà sorti de la scène.

— Elle m'a téléphoné.

— Ce sont des choses qui arrivent...

— Oui, mais sa voix ! Ce ne sont pas des choses qui arrivent. Du moins pas deux fois dans une vie.

— Que voulait-elle ?

— Je crois que cela vous concerne, Charles...

— Moi ? Comment ça, moi ? Pourquoi moi ? Elle a dit mon nom ?

— Non.

— Alors ?

— Écoutez.

Brave Étienne ! On pouvait compter sur lui pour l'avoir enregistrée, sa conversation surprise ! A tout hasard... La D.G.S.E. devrait s'intéresser à lui. C'est d'ailleurs sans doute déjà fait. Il faudra que je me renseigne. Mais la « Piscine » ne me dit pas tout... Du moins je l'espère, sinon elle ne serait plus la « Piscine » ! Fin de la parenthèse à usage interne.

C'est drôle comme on nous attrape d'abord par les oreilles, nous les hommes ! Cela doit dater de l'époque où l'espèce vivait encore au cœur de la forêt préhistorique et où une « femelle », vu l'obscurité ambiante, c'était d'abord un son avant d'être une image.

Un son qui devait drôlement se rapprocher de celui-là, si j'en juge par l'état avantageux dans lequel ce qu'il y a de plus reptilien en moi s'est tout de suite retrouvé. Cette femme, c'était la voix de son maître. Si femme il y avait... J'ai d'ailleurs commencé par ne rien comprendre, tant ça en devenait inhumain d'être aussi charnel.

— Vous êtes sûr qu'il ne s'agit pas d'un synthétiseur ? dis-je, l'air las et compétent, à Étienne.

— Si des machines sont susceptibles de vous mettre dans un état pareil, je me fais machiniste...

Il avait dû voir de quel bois je me chauffais. Étienne a l'œil vif pour certains détails, dont il fait d'ailleurs l'essentiel.

— Alors, Charles ? me dit mon hôte. Que croyez-vous ? Où allons-nous ?

On se serait cru au siècle des Lumières.

— Encore ! lâchai-je.

— C'est le mot de l'amour, susurra Étienne, lacanien, en remettant l'appareil en marche.

Cette fois, je me forçai à moins ressentir pour mieux écouter. Les mots étaient complètement comestibles, comme fourrés de chair de femme. Des mots pareils, j'en aurais consommé toute la journée...

— Hécate et ses chiens, murmurait la voix... Le rêve et ses luxures... Divine et damnée... Rends-moi mon écharpe !

La fin tombait comme l'absurde sur le destin de Camus.

— Quelle écharpe ? Vous avez pris son écharpe, Étienne ?

— Charles, je n'ai ni pris, ni vu, ni convoité, ni compris...

— A-t-elle laissé une adresse ? Pour l'écharpe, je veux dire...

— En quelque sorte.

— Ah bon, où ça ? dis-je, déjà prêt à buriner sur mon calepin mental.

— Elle a dit : attendre message suivant !

— Quand ça ?

— A cinq heures. Il est cinq heures moins trois. C'est pour ça que je vous ai convoqué.

— Trop tard.

— Comment ça, trop tard ?

— Je n'ai pas le temps de faire mettre sur table d'écoute.

— Vous, Charles, impuissant ?

— Oui, Étienne. Moi. Enfin, on peut essayer.

J'essayai. Par Alexandre. Il allait bien sûr penser qu'il s'agissait d'une histoire de femme. D'amant jaloux. Et que c'était moi l'embringué. J'ai failli lui dire : « Secret-Défense », mais, entre lui et moi, ça sonne faux. Je ne sais pas pourquoi.

Alexandre, au bout du fil, haussa les épaules.

— On va voir ce qu'on peut faire, dit-il quand même, mais en prenant son ton paternel, le sale gamin.

Il n'en a pas moins l'extrême intelligence de respecter — en apparence — mes lubies. C'est pourquoi il est mon chef de cabinet. En attendant mieux. (Pour l'un comme pour l'autre.)

Mais elle n'a pas appelé. Elle devait se douter.

J'ai quitté un Étienne presque en larmes — il n'a jamais supporté qu'on lui pose un lapin —, caressant d'une main indifférente l'entrejambe d'un de ses « bois ». Même le labrador avait la queue basse, et le daim rigolait.

— Je vous ai dérangé pour rien ! soupira mon hôte.

— Ça valait le détour..., dis-je en me remémorant les accents râpeux. Ah, si toutes les femmes nous parlaient comme ça ! Ou même une seule... Et puis un petit passage par chez vous, Étienne, c'est toujours un plaisir...

Perrier-Jouët 1959, il connaît mes goûts les plus imperturbables. Si d'autres le sont moins...

La voiture filait ses trente nœuds sur Paris, sans sirène. J'avais demandé un peu de silence à ces messieurs dont les gants pianotaient d'ennui sur leur volant comme les chaussons d'une danseuse étoile forcée de laisser la place au corps de ballet. Le téléphone sonna. Jean-Marie décrocha et me passa le combiné sans un mot.

— C'est moi, me dit-elle.

Ça allait de soi.

— Oui, dis-je.

— Étienne était un piège. Ce que je veux, Charles, c'est vous !

Une goutte de cyanure dans un demi-litre de contre-poison crémeux, voilà ce que je pris au creux de l'estomac.

— Nous avons des petites choses en commun, mon cher Charles !

— Ah bon, lesquelles ?

J'ai quatorze ans. La cour du lycée. La fille du proviseur me demande de venir voir un truc avec elle à la lingerie. Et moi, cornichon, au lieu de galoper, je laisse tomber : « Quel truc ? »

Je n'en ferai jamais d'autres...

La voix éclata de rire et ça n'était pas mal dosé pour une explosion provoquée à distance.

— Vous le saurez quand nous nous verrons, Monsieur le Ministre.

— Quand ça, où ça ?

— N'oubliez pas mon écharpe.

Saloperie d'écharpe.

Je me présente. Je ne suis pas le ministre de l'Intérieur, je suis seulement celui du Sida. Un ministère créé dans l'affolement et la hâte... En quelque sorte, je suis le ministre de l'Extérieur. Je dois lutter, me battre pour que le tueur — le virus — demeure à l'extérieur. De nous. De nos personnes, de notre pays, hors de tout.

Vous imaginez le Président de la République atteint du Sida ? On aurait bonne mine ! (Déjà Reagan avec son cancer, ça a fait pâlir le vert du dollar...) Mais comment faire pour être sûr sûr sûr qu'il ne l'aura pas ?

— Débrouillez-vous, m'a dit Figeac, le Premier ministre. Et surtout, surtout, si vous l'attrapez, dites que c'est la peste !

— On me croira ?

— Non. Alors je ne vois qu'une solution : suicidez-vous. Avant.

— Avant quoi ?

— Avant de mourir.

Je suis donc le ministre trucidé d'avance. C'est la course contre la montre entre le Sida et moi. On devrait dire le Cida. C'est un tueur, comme le Cid, ce virus-là. Et le plus menacé c'est encore moi, puisque je n'aurais même pas le droit de vivre mon Sida tranquillement, comme n'importe quelle bonne petite M.S.T. de papa !

À croire que le Sida ne s'attrape que dans des coups tordus !

C'était peut-être vrai au début : un homme noir sur un homme blanc, c'est comme ça que ça a commencé. Après, ça s'est peu à peu normalisé : homme blanc sur homme blanc, homme blanc sur femme blanche... femme blanche sur (ou sous) vous et moi ! Le tout piqueté de drogue comme une poularde de morilles ! Maintenant, il n'y a même plus besoin de drogue pour l'attraper, le furet ! Sauf celle qu'on appelle amour.

Je me souviendrai toujours du Premier ministre me convoquant avant la création du ministère, pour me proposer le poste.

— Le Président de la République est de mon avis, a-t-il commencé après avoir vérifié lui-même la fermeture des portes, ce qui, depuis l'invention des micro-canons qui traversent les murs, relève de la puérilité pure et simple.

— Oui, Monsieur le Premier ministre, lui ai-je répondu à tout hasard.

Cela m'a rappelé l'époque où mon père me convoquait dans son bureau, après ma mauvaise note, et commençait sa diatribe par : « Ta mère est d'accord avec moi ! », avant de passer à la punition.

Là, je n'avais pas eu de mauvaises notes. Bien au contraire, on venait de me donner la Légion d'honneur pour services éminents rendus à la France dans un domaine très particulier dont je parlerai peut-être un jour, mais j'avais ma punition quand même.

— L'ennemi est à nos portes, et même déjà à l'intérieur.

— Oui, Monsieur le Premier ministre.

Auraient-ils eu vent, nos Présidents associés, de nouvelles implantations d'espions soviétiques au cœur de la fusée Ariane ou de nos bâtiments tricolores ? Le dernier moussaillon de nos sous-marins nucléaires est pourtant disséqué comme une grenouille de laboratoire avant d'avoir le droit de mettre un orteil sous l'eau...

— C'est la guerre, Charles, c'est la guerre !

— Oui, Monsieur le Premier ministre.

— Il n'y a plus une seconde à perdre.

— Non, Monsieur le Premier ministre.

Nous venions d'en perdre déjà une bonne poignée. Mais ce qu'on appelle les voies du Seigneur, c'est-à-dire celles qu'emprunte la transmission hiérarchique d'un dossier du Président de la République jusqu'à moi, ne pouvaient se dispenser de quelques formes. Même si Figeac m'appelait Charles, en souvenir des mémorables parties de pétanque du temps où nous n'étions que députés du Sud-Ouest, lui et moi.

— C'est pourquoi nous avons décidé, le Président et moi — toujours Papa/Maman associés, cela ne me disait rien de bon ! — la création d'un nouveau ministère. L'urgence va être proclamée dès votre acceptation...

— L'urgence contre...

Je fis exprès de laisser traîner ma voix pour qu'il termine ma phrase et nomme enfin le sujet que j'aurais à traiter, dont j'espérais qu'il ne dépasserait pas mes compétences tout en servant mon idéal.

Ce que Figeac n'a pas manqué de faire, trop heureux de ma collaboration ainsi manifestée, croyait-il.

— Le Sida !

Je vous jure que j'ai failli rire.

Pour une raison idiote. Ma femme, le matin

même, m'avait dit la même chose : « La situation est grave ! »

— Oui, ma chérie. Tu me passes le savon, il n'y en a pas dans la douche.

Elle tambourinait à la porte de l'habitacle vitré où j'aime pourtant me croire en sécurité quelques instants. « Mais ne t'en fais pas trop quand même, hurlai-je sous le jet alternativement brûlant et glacé comme un cours de la Bourse, le lingot remonte ! »

— C'est pas ça ! hurla-t-elle, de retour. C'est Georges-Étienne. Il a des fréquentations douteuses, ton fils...

— C'est de son âge ! Moi, quand j'avais dix-sept ans...

— C'est plus pareil !

— Comment ça, c'est plus pareil ? Un homme est un homme est un homme, nom de Dieu...

— Et le Sida, qu'est-ce que tu en fais ?

C'est vrai, ça, qu'est-ce que j'allais en faire ?

C'était un endroit adorable. Je parle de mon ministère. Un petit pavillon au fond d'Auteuil qui avait, paraît-il — mais oui, vous avez deviné ! — servi de maison de passe de haut luxe sous la Troisième. Et qui avait été auparavant la « folie » offerte par un riche mécène à une courtisane.

Tout, là-dedans, était fait pour l'amour, et même l'amour multiple, trompé, menteur, infidèle... Enfin l'amour, quoi, le vrai !

Portes dérobées, escaliers secrets, jardinets ornés de statues auprès desquelles le baiser de Rodin faisait figure saint-sulpicienne... Et — surtout — tout était rose ! Le sol, en marbre, mais aussi les murs, les tentures, les lambris, les fresques, les... Il n'y avait que mon bureau, noir et tubulaire — une retombée pompidolienne qui n'avait pas trouvé sa place à l'Élysée, ni à Beaubourg, qui s'était retrouvée au mobilier national et dont on venait de me faire cadeau — pour trancher. Sec.

Je me suis installé. Avec Adrienne.

L'intérêt d'Adrienne, c'est qu'on peut être certain qu'elle n'aura pas le Sida. Sauf s'il existe des pervers — myopes de surcroît — qui rêvent de violer un balai mécanique doté d'une voix de sergent-major.

Adrienne, à mon sens, est inviolable. Pire qu'un coffre-fort signé Fichet. Elle a tous mes secrets — ou du moins ce qu'il en reste, car les secrets, de nos jours, sont comme ceux de la haute couture, tout de suite démodés — et le don de pénétrer mes humeurs les plus noires.

Ou roses, parfois.

— Monsieur le Ministre, m'a-t-elle dit dès son entrée en fonction. Je ne sais pas ce que je dois foutre !

J'oublie de dire qu'Adrienne, cinquante-huit ans, toujours vêtue de gris souris, petit chignon tiré sur le haut du crâne, lunettes pince-nez (« Comme ça, c'est moins le bordel ! »), parle comme un sapeur ! Elle prétend qu'elle a appris son parler de son père, un ancien de Verdun qui n'avait jamais pu se déprendre de la langue verte des tranchées. Comme il était veuf et vivait seul avec son Adda, le résultat est mon héritage.

Car il n'y a que moi qui ne m'offusque pas : tous les autres ont refusé la collaboration d'Adrienne, qui est pourtant une perle. Noire.

— C'est pire qu'une chaude-pisse !

— Bien pire, Adrienne, il faudrait peut-être commencer par convoquer...

— Le toubib en chef ?

Elle m'avait deviné.

Une heure plus tard, le professeur Faribole, toutes opérations cessantes, était dans mon bureau. Après avoir hoché la tête, en connaisseur, devant certaines fresques qu'on ne saurait trop voiler, ornant l'entrée de mon ministère de la non-rigolade, il s'est assis, bien morne, en face de moi.

— Y a rien à faire ! Je sais pas quoi faire !

— Et moi qui comptais sur vous, Professeur !

— Dans l'état actuel de la recherche scienti-

fique et de nos moyens, on ne peut compter
que sur une seule chose...

— Laquelle ?

— L'abstinence.

Triste programme, comme aurait dit le Général.

— Moi, je veux bien, Professeur, mais
comment l'imposer ? Même au plus noir des
restrictions, ce genre de rationnement a toujours été voué à l'échec ! Si je vous disais ce qui
se passe — et s'est toujours passé — dans des
endroits considérés comme tout à fait préservés,
je parle des couvents, des vaisseaux de guerre,
des lycées, sans compter les casernes, les cha-
lutiers, les...

— Je le sais aussi bien que vous ! a coupé le
professeur Faribole.

J'oublie de dire que sa spécialité, ce sont les
maladies sexuellement transmissibles, les M.S.T.
Que de conférences prestigieuses, que d'apparitions triomphales à la télévision, dans les
congrès internationaux ! Une gloire de la France,
le professeur Faribole ! Et là, brusquement, il
n'y a plus qu'un petit garçon qui sent qu'on va
lui retirer sa croix d'excellence...

Il avait raison. Si j'avais pu, je l'aurais traité
comme le capitaine Dreyfus : dégradé !... D'ailleurs prudent, il ne l'avait pas mise, ce matin,
sa rosette de grand officier de la Légion d'honneur. Je ne pouvais donc, pour me faire les
ongles, que racler le verre dépoli du bureau
pompidolien.

— Et la propagande ?

— Quelle propagande ?

— Une campagne d'information !... Mais alors,

quelque chose de fantastique, comme on n'en a jamais vu depuis...

— Vous croyez !

— Je ne crois rien, je cherche.

— Vous pensez que les Français sont capables d'obéir à un mot d'ordre : bas les armes, citoyens, on ne baise plus ?

— Ils l'ont bien fait en 40... Quand on les a baisés...

— C'est juste.

Nous voici rêveurs, tous les deux !

C'est vrai qu'après l'Armistice, les Français ont été d'une rare soumission aux forces d'occupation. Quel était donc leur secret, à ces ssssalauds-là ? Je parle des SS, bien entendu, et de Hitler.

— Adrienne !

Elle était là, m'ayant deviné, comme à son habitude de médium embinoclé.

— Trouvez-moi donc les lois de la propagande nazie...

— La propagande nazie ?

— Oui, tout ce qu'a écrit, promulgué, inventé, appliqué Hitler pour asservir les populations occupées.

— Tout est dans ce putain de *Mein Kampf*, Monsieur le Ministre.

— Eh bien, allez donc m'acheter *Mein Kampf* !

Adrienne partit ventre à terre, si j'en juge par la sirène des motards qui, une demi-seconde plus tard, rappelait à tout Auteuil qu'ils avaient la joie d'héberger un ministre de la Ve République.

Je considérais le professeur Faribole, lequel faisait de même, blanc des yeux à blanc des yeux.

— Vous savez ce que je pense ? me dit Faribole. Eh bien, je suis gêné...

— Voyons, Professeur, l'heure n'est plus à la pudeur... Il faut jouer organes sur table ! Et vite !

— Je ne parle pas sexe... le sexe n'est rien. J'en sais quelque chose, j'en vois toute la journée. Je parle propagande.

— Et alors ?

— Le Sida, c'est quand même pas les Juifs, et si vous décidez de mettre en application les lois hitlériennes pour la liquidation totale, la solution finale et autres gracieusetés, moi je ne suis plus d'accord ! Je ne l'étais pas non plus pour les Juifs, notez bien...

J'éclatai d'un bon rire.

— S'agit pas de racisme, Professeur, remettez-vous ! Hitler est un monstre. Nous en sommes tous d'accord, mais quand il s'agit de propagande, c'est notre maître ! Demandez à n'importe quel directeur artistique de n'importe quelle agence de publicité, il ne vous l'avouera pas sur l'heure, mais quand il veut convaincre, c'est-à-dire vendre sa campagne à son client et subséquemment faire acheter les produits du client par le public, chez qui va-t-il chercher des arguments ? Chez Hitler !

— Possible, dit rêveusement le professeur Faribole.

— Tenez, prenez les couches-culottes.

— Je vous crois, je vous crois ! dit le professeur, pressentant déjà ce que j'allais pouvoir lui débiter sur les petits élastiques qui font toutes la différence. Mais comment allez-vous faire ? Pour le Sida, je veux dire...

— Savez-vous quelle était la loi numéro un de Hitler en matière de propagande ?

— Anéantir, je présume !

— Exact. Mais avant de supprimer l'ennemi, surtout lorsqu'il pullule, il faut commencer par le déshumaniser. Hitler a eu l'ignominie de comprendre que, pour obtenir le consensus du peuple allemand — et des autres peuples européens — pour le génocide, il fallait faire des sous-hommes de ceux qu'il voulait transformer en fumée : Juifs, Gitans, communistes, malades psychiques, et finalement nous tous. Des poux. Hitler aboyait : "Ces êtres-là ne sont pas des hommes, ce sont des poux !" Après quoi, on lâchait l'insecticide.

— Mais le virus du Sida, je peux vous l'affirmer, n'a rien à voir avec les poux, et dans une communication récente, moi-même...

L'autre jour, j'ai vu un vieux monsieur très élégant et fort joliment conservé pour son âge, lunettes d'écaille au bout de son nez qu'il tenait penché, à le toucher, sur un magazine ouvert. Je me suis approché pour voir ce qui le fascinait à ce point : la photo, je ne sais combien de fois agrandie, d'un gros vilain leucocyte, une sorte d'animalcule mou et sans visage, attaqué par une série de petites billes bleues du meilleur effet. Le virus du Sida ! Le « veau » n'allait pas tenir longtemps contre les jolies balles dumdum... Et le vieux monsieur, qui ne craignait plus rien pour son compte, devait se dire : kekseksa ?

— On va prendre les choses à l'envers, cher Professeur.

— A l'envers ? dit Faribole, qui, je le vis à son expression, devait avoir l'esprit un peu mal tourné, sans doute à force d'en entendre dans son cabinet où tout ce qui ne s'explique pas par l'endroit s'explique forcément par l'envers.

— Je veux dire qu'au lieu de faire peur aux gens avec le Sida, on va leur donner envie...

— De l'attraper !

Ou il avait vraiment les idées très larges, ou c'était son escarcelle qui voyait trop grand !

— Mais non, Professeur, mais non ! Envie d'être chaste ! Que voulez-vous faire d'autre ?

J'avais dit « chaste » au lieu de « continent », parce que la chasteté est une vertu. Qui n'exclut pas quelques privautés.

Le professeur le comprit parfaitement. Il eut un geste bénisseur qui ressemblait à un signe de croix.

C'était Adrienne qui allait être contente. J'entendais déjà son « bordel de merde ! »

Le lendemain, je convoquai autoritairement ces messieurs. Par « messieurs », j'entends tous les patrons de toutes les plus grandes boîtes de pub françaises. Les cracks de l'« image ».

Il y en a de tous les âges. Les uns arrivent en Ferrari, les autres en taxis bleus. Les troisièmes en autobus, sous prétexte que le bain de foule leur donne des idées. J'ai quand même évité l'hélicoptère, parce que l'héliport est un peu loin et qu'il n'y avait pas la place dans mon jardinet officiel.

Ça n'est pas rien, tous les directeurs de pub rassemblés dans une même pièce ! Ils se haïssent, ces mecs-là, que c'en est tangible. Et, en même temps, s'adorent. Car ce sont eux, tous ensemble, qui font la loi comme à la Chambre ! La loi secrète, celle des goûts et des couleurs.

Les campagnes pour la tendresse, l'émotion, l'excellence, la tradition, l'anti-pépins, ce sont eux !

J'attaquai sec.

— Messieurs, la France est connue dans le monde entier...

On aurait entendu souffler une mouche. Et soudain, une petite voix, celle du doyen, se mit à chuchoter : « Pas assez ! Pas assez ! »

Il pensait sans doute que j'allais lui donner la France à vendre ! Et à l'étranger, par-dessus le marché !

Je continuai, imperturbable, sinon imperturbé :

— La France est connue dans le monde entier comme possédant les meilleurs publicitaires actuels.

Cette fois, la mouche a volé sans encombres !

— C'est pourquoi je vous ai convoqués pour m'aider à sortir la société française d'une crise gravissime et sans précédent.

Je leur aurais offert à tous et à chacun, tant qu'ils étaient, de remplacer au pied levé le gouvernement, qu'ils auraient dit « oui » d'enthousiasme. Je crois même qu'ils s'y attendaient.

— Il s'agit du Sida.

Le « oh » de surprise était teinté de reproche.

Le Sida — qu'on se le dise, et j'aurais dû m'en douter — est anti-commercial. Tout le temps que vous passez à penser au Sida, vous n'êtes pas en train d'acheter ci ou ça... Sauf, éventuellement, des préservatifs, ce qui n'est pas d'un prix fou fou fou... Surtout depuis que j'ai demandé — ce qui a été accepté — qu'on les distribue gratuitement.

Je leur cassais la baraque, à ces messieurs.

Là, j'avais retrouvé leur attention. Je voyais fumer les cerveaux. Une quantité inouïe de neurones s'était mise en branle.

— Ce sera cher..., murmura l'un.

Ça y est, c'était lancé ! Dès qu'un publicitaire parle « coût de campagne », c'est qu'il embraye.

Murmure d'approbation générale.

— Ça c'est sûr ! Très cher pour vous tous, dis-je. Vous allez travailler gratuitement. Sinon, toute campagne publicitaire pour n'importe quoi d'autre sera interdite. Loi d'urgence !

Là, j'y étais allé un peu fort, car Figeac ne m'avait rien promis. Mais je voulais faire peur.

— Vous voulez casser l'économie française ?

— Je veux casser la maladie. Et, en même temps, la terreur...

Après le bâton, le susucre :

— ... Et il n'y a que vous qui puissiez m'y aider. Le Président de la République lui-même a reconnu le fait...

Murmure flatté.

— Le Président de la République ?

— Oui, et aussi le Premier ministre.

Là, moins flatté. Mais quand même.

— Qu'attendez-vous exactement de nous, Monsieur le Ministre ?

— Que vous mettiez sur pied une campagne cousue main sur... — j'hésitai exprès, suspense — sur la chasteté !

Silence de mort.

— Il faut que vous me fassiez une liquidation totale de la baise. Provisoirement, bien sûr.

— Et notre campagne sur la natalité et la multiplication des naissances ?

— Au placard. Provisoirement, bien sûr.

In petto, j'imaginais la tête de la dame toujours en rose qui venait d'écrire un best-seller sur la nécessité de faire des enfants. Quel paquet de dommages-intérêts elle allait nous demander. Je tâcherai de la décider à cibler plus serré sa natalo-fiction ! « Faites des enfants, pas l'amour ! »

— Je tiens à vous signaler, Messieurs, que si vous arrivez à faire que les Français interrompent momentanément leurs activités sexuelles...

— Eh bien ?

— Il va falloir multiplier toutes les autres, pour les distraire ! Et ça, c'est votre affaire !

Hurlement d'enthousiasme.

J'avais les publicitaires dans ma poche...

Et quand on a les publicitaires dans sa poche, comme ils ont la main dans celles de tous les Français, on n'est pas loin d'arriver à ce qu'on cherche.

J'avais compté sans... les Françaises ! Je veux dire « une » Française.

La femme à l'écharpe.

Une heure plus tard, j'étais chez le Président Figeac.

Il m'écouta soigneusement.

— Vous voulez dire tout à fait ?

— Oui. Tout à fait, tout à fait. Jusqu'à ce qu'on ait cerné le problème.

— Le problème ?

— Je veux dire : tous ceux qui l'ont !

— Mais c'est du racisme...

— Absolument ! C'est pour ça que je...

J'allais dire : que je relis *Mein Kampf*. Mais ç'aurait été mal pris. Figeac est un démocrate convaincu qui n'a jamais lu même Machiavel. Et il préférerait mourir — au besoin du Sida — plutôt que d'entériner n'importe quelle petite loi à but discriminatoire. Un héroïsme comme un autre.

Mais moi, je n'ai pas à m'embarrasser de scrupules. Je suis là pour débarrasser la société, qui m'implore à deux genoux, d'un ennemi mortel !

— C'est pour aller vite, Monsieur le Premier ministre, qu'avec votre aide je veux lancer la plus grande campagne de publicité — j'évitai finement le mot propagande — qu'on ait jamais vue dans notre pays !

— Pour la chasteté ?

— Vous m'avez compris... Pas *contre*... Les gens n'aiment pas le mot "contre", mais "pour"...

— Que va dire Geneviève ?

— Geneviève ?

— Mon épouse ! Madame Figeac ! Si je lui dis qu'à partir d'aujourd'hui...

— A partir d'aujourd'hui, Monsieur le Premier ministre, tous les grands Français doivent donner l'exemple. Surtout ceux à qui ça coûte le plus... Comme en temps d'I.G.F. ! ajoutai-je pour le flatter.

Et le décider.

— Mais imaginons que les prises de sang...

— Je vous ai compris, Monsieur le Premier ministre : chaque époux se fait faire un examen de sang en même temps. Ils sont tous les deux négatifs. Les voici rassurés. Enthousiasmés ! "Nous deux, on peut y aller ! Que les autres crèvent la bouche ouverte — on est tranquilles !" D'abord, c'est antipatriotique...

— Mais personne ne le...

— Même si personne ne le sait ! Enfin, et surtout, ça n'est pas prudent...

— Tout de même, le virus ne vole pas dans les airs, c'est Faribole qui le dit !

— Absolument. Mais ça s'attrape autrement.

— Par quelles voies ?

— Normales. Je veux dire qu'aucun individu ne peut jurer que son partenaire ne lui a pas fait une petite infidélité ignorée... Oh, toute petite...

— Geneviève ? Impossible !...

— Et vous, Monsieur le Premier ministre, impossible ?

— Mais si le partenaire tiers a fait faire lui aussi son examen de sang et si... Vous avez raison, Charles, je suis un imbécile !

— Vous exagérez, Monsieur le Premier ministre !

Et Figeac de lancer un œil nostalgique vers la porte par laquelle venait de disparaître sa charmante secrétaire.

— Un incorrigible naïf !

— Nous le sommes tous, Monsieur le Premier ministre ! C'est le charme de l'existence...

— Adieu, charme !

— Oui, Monsieur le Premier ministre. Momentanément.

— Bon ! Alors, adieu, Charles.

Mon plan était accepté. Mais j'allais être universellement haï. Ma cote allait descendre à moins zéro. Je serais brûlé en effigie... Inéligible à jamais... Exilé à la première occase... En somme, bon pour la casse !

Dès que j'aurai réussi.

Et si je ne réussissais pas, eh bien, ce serait pire encore !

Donc, en avant toutes ! (Si j'ose dire, en l'occurrence...)

Revenons en arrière.

Chez tous les hommes, il y a une femme qui sommeille.

La mienne est rousse. Un feu de paille. Et si longue — de cuisses — qu'on a toujours le sentiment qu'elle est en train de bâiller ou de s'étirer. Ce qui n'empêche pas les rondeurs. Quand on est couché, un vrai paysage de collines.

Reste que ça ne m'est jamais arrivé, parce que je ne l'ai pas encore rencontrée... Je ne connais que sa voix !

Celle que j'ai entendue chez Étienne... La voix râpeuse, huilée comme un serpent, de la femme à l'écharpe !

Ah, cette écharpe !

C'est Tudieu frère et sœur qui en a eu l'idée ! Tudieu, la plus grosse boîte de publicité de pointe. Une sorte de machine qui tourne à une vitesse telle que lorsqu'on les met en concurrence avec une autre boîte, on est sûr qu'ils auront des idées avant qu'on ait eu le temps de refermer la porte.

Plus précisément, le scénario se déroule comme ça : vous raccompagnez ces messieurs jusqu'au perron, vous avez à peine eu le temps de remonter les marches que déjà le téléphone sonne. Adrienne décroche.

— C'est pour vous, Monsieur le Ministre, vous prenez dans votre bureau ?

La fraternité associée m'appelait de sa voiture, la Mercédès bicolore conduite par Sing-Sing, leur chauffeur de choc connu et haï de tous les chauffeurs de Mercédès de Paris. « Je passe ou vos ailes sont cuites », telle est la devise de Sing-Sing. (Mais paix aux Rolls, on a ses principes.) En face, on s'efface, et on le hait. Ses patrons doublent son salaire tous les ans. Sing-Sing, prétendent-ils, est bon pour leur moral. Et le moral d'un publicitaire vaut de l'or.

— Voilà, Monsieur le Ministre, ma sœur et moi avons eu une idée...

— Une idée ? Quelle idée ! Pourquoi une idée ?

— Voyons, Monsieur le Ministre, pour votre campagne anti-Sida !

Est-ce bête, j'avais oublié ! Plus exactement, je me disais que si ces deux-là appelaient de leur voiture, c'était parce qu'ils avaient oublié leur parapluie... Pensez-vous, ils avaient en tête de coiffer tous les autres sur le poteau !

— Il faudrait un signe de ralliement...

— Pas bête ! Mais quoi ? Va falloir y réfléchir...

— C'est fait, nous avons trouvé.

— Ah ! vraiment ?

Sous le choc, j'imaginais un préservatif géant se baladant triomphalement dans le ciel de Paris, tandis qu'un régiment de majorettes... mais je n'ai pas l'esprit « pub », moi. C'est d'ailleurs pour ça que je suis ministre et non publicitaire. Béatrice me dit toujours : ça rapporte pourtant beaucoup plus que d'être patron de bordel !

Moi, je suis patron de ministère. Ça n'est quand même pas sidal. Si mal.

— Oui, Monsieur le Ministre... Il faut que tous ceux qui... enfin, que tous ceux qui ne l'ont pas portent un badge !

— Vous voulez dire que toutes les personnes qui ne sont pas atteintes du Sida devraient porter un signe d'identification ?

— Euh... ce serait peut-être plus judicieux que de le faire porter par celles qui l'ont, non ?

— Qui vous dit le contraire ? hurlai-je, terrorisé, plein d'étoiles devant les yeux et me voyant déjà avec la Ligue des Droits de l'Homme au cul.

— Seulement, rien ne permettrait d'être sûr à cent pour cent, poursuit la voix Tudieu frère ou sœur, que tous ceux qui arborent le badge n'ont vraiment pas le Sida ou ne vont pas l'avoir dans les mois qui viennent.

— Juste. Et alors ?

— Eh bien, le badge signifierait simplement — sans tenir aucun compte de ce qu'il en est de leur test — que ceux qui le portent ont pris leur parti. C'est-à-dire le nôtre !

— Mais quel parti, nom de Dieu ?

Mlle Tudieu — Aïda pour les intimes — prit l'appareil des mains de son frère, car je perçus une note légèrement plus tendre :

— Hector veut dire, Monsieur le Ministre, que toutes les personnes qui ont pris le parti de la chasteté, c'est-à-dire qui sont décidées à suivre vos consignes — en somme, qui ont renoncé provisoirement aux fêtes du corps — arboreraient un signe de reconnaissance. Qui signifierait aux yeux de tous : « C'est pas la peine de me faire des avances. Mon siège est fait. Cadenassé ! C'est non. »

Qui diable aurait eu l'idée de faire des avances

au siège cadenassé d'Aïda Tudieu ? Pas moi, en tout cas...

— Ça n'est pas une mauvaise idée, dis-je, abandonnant mes fantasmes et séduit, comme toujours, par la simplicité. Quelque chose comme un costume de religieux ? Ou de religieuse ? Pas touche au grisbi ?

— C'est ça, Monsieur le Ministre.

— Il faudrait que ça se voie de loin, et en même temps que ça ne fiche pas en l'air tout l'habillement, sinon j'aurai toute la corporation de la mode sur le dos... Il faut aussi que ça ne coûte pas trop cher !

— Et que ça soit joli, Monsieur le Ministre !

— C'est ça, qu'on ait envie de le porter.

— Et unisexe...

— Unisexe. Sinon on s'emmêlera les pinceaux !... Si c'était un chapeau ?

— Avec le vent, Monsieur le Ministre, ça ne serait pas pratique. C'est là qu'on s'emmêlerait ce que vous dites... Non, nous avons pensé à autre chose...

Quoi donc, tudieu ? Des gants blancs ? Une ceinture de chasteté ? Des chaussures à talons rouges ? Des camélias ? Un lys noir ?

— Une écharpe, Monsieur le Ministre.

— Pas tricolore, quand même !

Ils allaient en faire une tête, les trente-six mille maires de nos trente-six mille communes !

— Pas tricolore, Monsieur le Ministre. Une écharpe à carreaux... En plus, ça tient chaud !

J'entendis en contrechant la voix d'Hector Tudieu :

— Et on peut se la mordre quand on n'y tient plus !

— D'accord, dis-je. Va pour l'écharpe !

J'aurais quelque chose à communiquer par courrier spécial au Président du Conseil en fin de journée.

J'allais lui dire que la France, désormais, allait porter ce que vous pensez en écharpe !

Il en fallut des kilomètres !

Plusieurs maisons de tissage du Nord se mirent au travail, et même certaines fabriques de l'Est purent rouvrir leurs portes et réembaucher.

J'avais systématiquement refusé les propositions coréennes, pourtant nettement plus avantageuses.

Si on doit se châtrer, châtrons-nous français !

Ça, c'est le côté matériel. Le plus facile à régler. Je ne sais pas pourquoi on dit « l'intendance suit », la plupart du temps elle précède.

Le compliqué, c'était la campagne idéologique.

Comment convaincre les Français, individualistes, roublards, discutailleurs, amis de la chose, et surtout franchement rigolards et même imprudents, de se ranger sous la bannière d'une écharpe rouge, beige, brun et noire ? (Ç'avaient été les couleurs choisies après un concours de stylisme remporté haut la main par une belle rousse, mais c'était pas la mienne !)

Seconde réunion au ministère du Sida, surchauffée celle-ci, avec d'autres messieurs. Ceux de la presse. Ils sont venus, ils sont tous là. Les présentateurs de journaux télévisés et radiodiffusés, des grandes émissions, les directeurs de quotidiens, d'hebdomadaires, de magazines féminins, médicaux, économiques, etc. Directeurs de publication, rédacteurs en chef, directeurs de chaîne. Au point qu'on avait manqué de sièges dans mon bureau et de nouvelles fraîches, pendant quelques heures, dans tout le pays.

Ils sont tous là, piétinant la moquette saumon de mon grand bureau rose. Bouvard, l'œil rigolo, Pivot, la cravate intriguée, Sérillon, bien coiffé, Sabatier, Drucker, les enjôleurs. Tous ceux dont on connaît le visage, comme ceux dont on le connaît moins ou pas du tout, faisaient une drôle de mine !

En plus, ils avaient tous des objections ! **Ou** des idées meilleures. Donnez-moi trente publicitaires plutôt que dix journalistes de haut niveau !

— On pourrait commencer par faire un livre blanc, disait l'un.

— Pas le temps !

— Une grande émission publique avec **Faribole** !

— Déjà fait, rien donné...

— Et si on annonçait que le Président de la République...

— Non, le Président de la République tient à rester en dehors du débat...

— Vous voulez dire de l'éprouvette ! lance Bouvard.

Fou rire général.

Pour rétablir un peu l'ordre, je suis contraint de lire tout haut la liste des derniers grands disparus.

Mlle Adrienne venait de la mettre à jour et c'était, je dois le dire, terrible. On se serait cru après 14-18, en train de dévider celle des morts au champ d'honneur.

Là, mes lascars se sont tus. (Je sentais même que certains se retenaient pour ne pas se lever.)

Ils étaient les premiers à savoir que c'était **vrai**, et la liste pire encore que ne le pensait le public, car beaucoup des disparitions dues au Sida avaient été camouflées en autre chose. Comme si le Sida était une maladie honteuse parce qu'elle s'attrape — la plupart du temps — en faisant ce que la morale réprouve mais que l'espèce exige.

— Vous croyez vraiment, Monsieur le Ministre ? dit un grand directeur de quotidien après la minute de silence qui suivit le « *etc.* » que j'avais ajouté de moi-même après le dernier nom.

— Oui, dis-je, je crois vraiment ! Vous avez une autre solution ?

Silence de mort.

— On peut toujours essayer, dit le plus conciliant de tous. Au fond, ça ne coûte rien...

— Il s'agit d'une prise de conscience collective. Et si vous voulez bien y contribuer, la prise de conscience se fera dix fois, que dis-je, cent fois plus vite !

— Elle peut même être immédiate, Monsieur le Ministre.

Sérillon avait raison.

Le soir même, tous les présentateurs, sur toutes les chaînes, présentèrent les nouvelles... l'écharpe au cou. Les leurs étaient en cachemire, spécialement conçues pour l'occasion, et offertes par le ministère. Quant aux émissions à grand spectacle, elles aussi, ce soir-là, furent toutes présentées en écharpe !

Le lendemain, tous les journaux en parlaient.

L'intox avait commencé.

« Rendez-moi mon écharpe ! »

Chaque fois que je décrochais le téléphone, je craignais d'entendre la phrase fatidique. Quand c'était le cas, Mlle Adrienne, encore plus cure-dents que d'habitude, me disait : « C'est pour vous ! On ne veut pas dire son nom... Une voix à râper le fromage ! » Ce qui énervait d'autant plus ma secrétaire-amoureuse-de-moi, comme il convient, qu'elle devinait d'habitude mes interlocuteurs/trices à la voix — mais la « rousse », comme je l'appelais sans encore aucune information précise sur la pigmentation de sa mélanine, avait le don d'échapper à l'oreille discriminatoire d'Adrienne, laquelle, hors les coups de téléphone, jubilait. Pour la première fois de notre vie de couple patron/secrétaire, je ne la trompais pas ! Du moins en était-elle persuadée, et elle avait raison !

Je m'étais aperçu que pour être convaincant à mon poste, je devais donner l'exemple dans ma vie privée. Et pour que les femmes de ma vie le fussent également chez leur coiffeur, il me fallait les laisser sur leur faim, leur patriotisme et leur exaspération.

Mélange explosif !

Comme me l'avait d'ailleurs confirmé le docteur en médecine et psychiatrie, psychanalyste de surcroît, Jeannette Notre-Dame : « L'accumulation de l'énergie sexuelle non dépensée est une force considérable », m'avait-elle expliqué, joliment répandue — nos tripoteuses d'inconscient sont de plus en plus allongeables, depuis Freud — dans le fauteuil le plus capitonné de mon bureau. Celui qui avait dû servir, avant l'installation de mon ministère, à mille et une turpitudes dont celle qui consiste à...

Depuis que je ne passais plus à l'acte, j'avais des idées folles qui me grimpaient sans cesse dans la tête et que je devais chasser comme on fait déguerpir une mouche !

Je n'étais d'ailleurs pas le seul. A l'Assemblée, et, le mercredi, au Conseil des ministres, je voyais tous mes collègues faire s'envoler d'une main distraite quelque mouche absente — et je savais maintenant de quel bois cette mouche se chauffait !

Pour la énième fois, je renvoyai donc la mienne dans ses foyers d'infection avant de remettre bien en place l'écharpe castratrice. Salvatrice.

Car depuis que la France se serrait le kiki, le taux de galopade du Sida avait diminué d'une façon tout à fait spectaculaire.

Il y avait ceux qui l'avaient — et, pour ceux-là, les laboratoires chauffés à blanc continuaient à dépenser toute leur énergie ; et ceux qui ne l'avaient pas et qui ne l'auraient pas, s'ils continuaient à se montrer bien obéissants.

S'ils demeuraient chastes.

Comme nous tous.

Mais comment le demeurer indéfiniment ? Je veux dire : plus de huit jours ? Tout le problème était là, et je venais de le déposer dans le giron, l'entrejambe, le... je veux dire : sur les genoux ronds, soyeux, ravissants... je veux dire : dans les dossiers — ouf, j'y arriverai ? — du docteur Jeannette Notre-Dame.

— Vont-ils tenir, Docteur ?

— Je n'en sais rien, Monsieur le Ministre.

— Mais que dit votre clinique sur le sujet ?

— Lorsque mes clients entrent dans une période de chasteté, c'est généralement tout à fait involontaire. Affaire de frigidité, d'impuissance, de phobie, et c'est d'ailleurs pour ça — ou contre ça — que je les soigne...

— Écoutez, Docteur, puisque vous et vos confrères avez des méthodes pour rendre "actifs sexuels" ceux qui ne le sont pas (ou plus), en appliquant vos méthodes à l'envers, est-ce qu'on n'arriverait pas au résultat qui — momentanément — nous est indispensable ?

— La psychanalyse à l'envers ? On n'a jamais entendu ça... Si le docteur Freud...

— Il est mort ! Et nous ne voulons pas en faire autant ! Aidez-nous... aidez-moi...

Sur ces derniers mots, je faillis me jeter à ses petits pieds admirablement chaussés d'escarpins en lézard beige, le tout au bout de fines jambes délicieusement gainées d'une soie noire qui ne devait pas peser plus de six deniers et qui laissait voir... Et merde !

Impossible de travailler tranquillement avec toutes ces mouches bombillonnantes dans ma pauvre tête !

— Réfléchissez encore, Jeannette... excusez-moi, je veux dire : Docteur Notre-Dame...

— Vous pouvez m'appeler Jeannette, mon petit Charles...

Nos deux écharpes allaient voler en l'air, lorsque Mlle Adrienne — une perle, je l'ai dit, qui me délivrera des perles ! — surgit très inopportunément.

Je renvoyai le Docteur Notre-Dame relire les *Trois Essais sur la sexualité*, *Totem* et autres *Tabous*, et convoquai la supérieure de Notre-Dame de Sion.

Un sacré morceau.

— Comment faites-vous, ma Mère, pour obtenir de votre Saint Troupeau la sagesse la plus absolue sur le plan... enfin, vous me comprenez ?

— Sexuel ?

— C'est ça, c'est ça, ma Mère, sexuel. Enfin, la chasteté !

— C'est tout simple, Monsieur le Ministre, nous leur faisons prononcer des vœux.

— Des vœux ?

— Eh bien, oui, des vœux de pauvreté, d'obéissance et de chasteté...

— Et... ça suffit ?

— Avec la grâce de Dieu, oui.

Je me voyais déjà demandant à toute la France de prononcer en même temps que moi, et que tout le gouvernement réuni, des vœux — même provisoires — de chasteté !

On aurait eu bonne mine aux yeux des Russes, des Américains ! Même les ours blancs du Pôle se seraient tenu les côtes de rigolade, et Dieu sait s'ils ne doivent pas baiser tous les jours...

— Les ours blancs, on s'en fout ! me dit Figeac qui s'était carrément acheté un chasse-mouches pour écarter les mauvaises pensées qui semblaient, chez lui, plus vrombissantes encore que chez les autres. Le tout est de se débarrasser de... de...

Il eut un sourire angélique, comme s'il avait

vu une apparition, le portrait du Président de la République, en face de lui, transformé en celui d'une playmate ! « Se débarrasser du Sida ! », acheva-t-il dans un souffle.

Il n'aurait pas prononcé autrement « espions soviétiques » ou « déchets radio-actifs »... Quelle plaie, ce Sida !

Et pourtant, ça allait mieux, il n'y avait qu'à tenir bon.

Déjà la courbe des « nouveaux atteints », des derniers sidesques déclarés, publiée tous les jours par les journaux, annoncée par la radio et la télévision, était en diminution. Tandis que grossissait le troupeau qui portait l'écharpe.

Ce qu'on ne publiait pas, c'était celle de la montée des eaux du désir !

D'abominables déviations commencèrent à se faire jour.

Ce qui fait que je dus rétablir — provisoirement — la censure sur la presse, en collaboration avec le ministre de l'Intérieur que je devais toutefois freiner, tant il prenait plaisir à caviarder lui-même les publications sur le chemin de l'imprimerie !

Ayant appris, en effet, que le Sida ne se transmettait pas par les animaux, les populations rurales et même les autres... Passons ! La vente des poupées gonflables augmenta elle aussi considérablement.

Là, il ne s'agissait pas d'une infraction aux bonnes mœurs, et nos publicitaires firent des fortunes sur la baudruche ! Sans se donner trop de mal : il suffisait de montrer ces charmantes personnes en vitrine, on se les arrachait sur l'heure. Leur vente par correspondance battit tous les records, sans pour autant que celle de la lingerie et des bijoux diminuât. Ce qui s'explique : tout ce que les hommes ont l'habitude d'offrir aux femmes était désormais destiné aux poupées gonflables.

On assista à des drames passionnels car les femmes, les vraies, faisaient, on s'en doute, grise mine ! On avait beau leur dire que c'était provi-soi-re, quelques mois tout au plus, elles se mirent à se procurer en quantité un truc qu'on croyait disparu avec leurs arrière-grand-mères : des épingles à chapeau !

Pour quoi faire ? Devinez...

Scènes lamentables dans le métro ! Des hommes qui sortaient avec leur nouvelle amie étaient prêts à se jeter sous la rame en compagnie de l'Ève nouvelle subitement dégonflée, tandis qu'on ricanait non loin !

On parla au Parlement de voter une loi contre le « meurtre » des femmes de substitution, mais le bon sens, heureusement, reprit le dessus, et les hommes prirent l'habitude de laisser Bibenda à la maison.

Ou de ne la sortir qu'en voiture, toutes portes verrouillées.

Car il y avait aussi le kidnapping ! Ces objets d'amour n'étant pas produits en quantité illimitée, les stocks s'épuisèrent. Et avant que l'arrivage de Taiwan — cette fois, j'avais dû céder ! — ne parvînt off-shore, les ravisseurs de poupées gonflables, receleurs et revendeurs à la sauvette firent fleurus et fortune, grâce à ce nouveau marché rose et noir !

Il y a toujours des retombées perverses à une prohibition.

— A la guerre comme à la guerre, me disait Figeac à chaque nouvelle invention d'une population de plus en plus en délire...

Qui, pourtant, tenait bon ! La résistance des

Français, quand on a su la motiver, est absolument stupéfiante et digne des plus grands éloges. Je n'aurais jamais cru ça d'eux... ni de moi !

Il faut dire que les publicitaires avaient bien fait leur travail et nous concoctions, le Premier ministre et moi, une déversée de Légions d'honneur dès la fin du fléau.

Ces messieurs s'étaient débrouillés pour rendre la chasteté absolument désirable ! Éblouissante ! *Classe !* C'était le mot qu'on susurrait partout et qu'un chanteur de rock nous balançait à longueur d'antenne :

> *Sois chaste, c'est classe !*
> *Sois chaste, c'est classe !*

Tout ça en agitant sa petite écharpe blanc, beige, noire, rouge et brun... Une merveille de mise en scène ! Dommage que je ne puisse plus en voir une sans avoir aussitôt un haut-le-cœur !

C'était ça, le problème, vu mes fonctions officielles.

— Vous avez mal à vos nieux-nieux, Monsieur le Ministre ? me demanda Adrienne, le jour où j'arrivai pour la première fois au ministère avec des lunettes si noires que je dus mettre les mains en avant pour trouver mon bureau.

— Non... Enfin, si... Je ne sais pas ce que j'ai !

— Trop turbiné dans votre pageot tard la nuit, me dit-elle sans penser à mal.

A mal ! Je ne pensais qu'à ça, moi...

Car ma rousse invisible continuait à me persécuter !

Je voulus retourner chez Étienne, puisque c'était chez lui que tout avait commencé, et j'arrivai au château ventre à terre. Je me demande ce que font les motards de la police, en temps ordinaire, pour être dans un tel état quand ils sont sous écharpe ! La mentonnière de leur casque entre les dents, ils fendaient le flot de la circulation comme des lasers et je dus les rappeler à l'ordre plusieurs fois par téléphone portable pour qu'ils ne dégagent pas à coups de bombes lacrymogènes.

D'autant que pour ce qui est de pleurer, ils pleuraient comme des Madeleines à l'arrivée. Je m'en inquiétai :

— Que se passe-t-il, Messieurs ?

C'était émouvant, ces grands gaillards qui sanglotaient dans leurs casques, tel le capitaine des pompiers !

— On ne sait pas, Monsieur le Ministre, c'est nerveux ! me dit l'un d'eux au bord de l'hystérie.

— C'est la règle, parvint à articuler leur chef. Ils ont du mal à supporter la règle !

— Et moi donc ! faillis-je exploser.

Je me contentai d'un encouragement de tortionnaire à ses troupes. Une formule que j'avais trouvée chez Sade — mais à qui demander de l'aide, en ce moment, sinon à celui qui était

allé aussi loin qu'il était possible dans la persé-
cution d'un prochain que cependant l'on aime ?
« Encore un petit effort, mes chéris, si vous
voulez être sauvés... » Voilà ce que je roucoulai
en substance à mes motards.

Sauvé, il y a des moments où je me demandais
si je tenais tant que ça à l'être moi-même !

Rien n'est plus néfaste que de réfléchir à ses
objectifs en cours d'action. Ne fléchissons pas !
Surtout au milieu de la course : il faut courir
pour courir et non pour gagner... J'aurais pu
réécrire à moi seul la Sagesse des Nations !

J'entrai, ployant sous son poids imaginaire
dans le bureau d'Étienne que je trouvai parfaitement suave.

— Ça alors ! lui dis-je.

— Quoi ?

— Vous allez bien, vous ?

— Pourquoi pas ?

— Parce que personne d'autre ne va bien, en
ce moment... Tout le monde est...

— Grippé ?

— C'est ça, grippé ! Vous avez toujours le
mot juste, Étienne.

— Écoutez, mon cher ami, grippé, je le suis
depuis si longtemps, en ce qui me concerne,
que ça ne me fait plus rien ! Les autres me
rejoignent, c'est tout. Et, vous verrez, on s'ha-
bitue. Il y a d'autres choses dans la vie que le
sexe et...

— Quoi ? hurlai-je en empoignant les deux
bouts de mon écharpe comme si j'avais voulu
me stranguler.

— Eh bien, les fleurs, les petits oiseaux...

— Mais les fleurs et les petits oiseaux font

l'amour à longueur de temps ! *In* and *out* la saison !

— Alors, il y a l'art...

— Mais de quoi parlent les romans ? D'amour... Que peignent les peintres ? Des femmes à poil...

— Enfin, Charles, que vous arrive-t-il ? On dirait un adolescent à sa première poussée d'acné...

— Vous avez raison, Étienne, lui dis-je, soudain illuminé, j'ai dix-sept ans et je suis amoureux !

— Voilà qui est raisonnable ! De qui ?

— De la femme à l'écharpe.

— Voyons, Charles, grâce à vous, il y en a désormais des dizaines de millions, de femmes à l'écharpe !

— De celle qui m'a dit chez vous, au téléphone : "Rends-moi mon écharpe !" Qui est-elle ?

— Mais je n'en sais rien, moi !

— J'ai pensé que puisqu'elle avait appelé chez vous, vous auriez une idée sur son identité... Étienne, s'il vous plaît, faites un effort !

Le téléphone se mit à sonner. Je décrochai, mû par un réflexe que je ne pus inhiber, celui-là.

C'était elle ! Je le savais.

— Ça commence à faire, dit la voix râpeuse.

Que c'était bon bon bon... Surtout dans le dos ! Mais dans le cou aussi, sur le ventre, la poitrine... Hou ! Une vraie brosse en crin sous la douche tiède !

— Oui, dis-je en frissonnant de plaisir, ça commence à faire long ! Plus de trois mois que je vous cherche...

— Plus de trois mois que vous m'exaspérez, vous voulez dire !

— Moi ? dis-je le plus tendrement possible. Et en faisant quoi, ma petite poil-de-carotte ?

Pas réagi, donc elle était bon teint.

— Vous m'avez piqué mon écharpe !

— Et elle était comment, votre écharpe à vous, mon trésor à moi ? D'abord, je ne savais pas que vous portiez une écharpe, puisque je ne vous ai jamais vue... Si seulement...

— Je n'en porte plus !

— Ah si ! dis-je, indigné et très inquiet. Si, si, si, il le faut ! Vous devez absolument porter l'écharpe ! Donnez-moi votre adresse et je vous en envoie une tout de suite...

— J'en portais une *avant*..., coupa-t-elle d'un ton mélancolique. J'aime bien lancer la mode, remarquez... Mais là, c'est trop !

— C'est votre métier, la mode ? dis-je dans l'espoir d'une piste.

— Non.

— C'est quoi, votre métier ?

Je tenais l'écharpe par le bout de sa frange.

— Faire régner la justice, dit-elle en raccrochant.

Je retombai, éperdu, dans le fauteuil à oreillettes d'Étienne qui faisait guiliguili à son Labo.

— La justice, c'est quoi la justice ?

— On croirait entendre le Garde des Sceaux, dit Étienne, histoire de me ramener à une plus juste vue des choses. Vous l'avez obtenu, votre rendez-vous ?

— Elle veut que je lui rende son écharpe ! Or, il y en a des millions en circulation... Laquelle est la sienne ? Vous pouvez me le dire...

— Ça n'est pas l'écharpe qu'elle veut, si j'ai bien compris, c'est une certaine idée...

— De la France, oui !

Je l'avais compris, moi aussi.

J'allai donc voir Totor.

C'est comme ça que nous désignons entre nous notre collègue de l'Intérieur, Victor Mollisson.

— Pouvez-vous, mon cher, me faire dresser une liste de toutes les rousses de France ?

— Ce sera difficile, étant donné les "parallèles" qui ne se rencontrent jamais, comme leur nom l'indique...

Rigolard, Totor.

— De toutes les femmes rousses... les femmes, oui, les femmes, pas les polices !

— Pour quoi faire ?

Je mentis effrontément.

— Le professeur Faribole en a besoin pour mettre au point un vaccin anti-Sida.

— Les rousses ! Mais pourquoi les rousses ? Qu'est-ce qu'elles ont que les autres n'ont pas ?

C'était bien la question que je me posais.

— Je n'en sais rien... Faribole le sait, lui, mais je ne suis pas dans les petits papiers de ses recherches. Trop compliqué pour mon cerveau. Et les molécules ont de ces formules ! A rendre fou un ordinateur à grande puissance... Ces bêtes-là, je ne cherche pas à les concurrencer !

— Mais comment voulez-vous que j'y parvienne, avec toutes ces fausses rousses en circulation ?

— Dénonciation.

— Pardon ?

— Demandez à la dénonciation de fonctionner... Une vraie rousse, ça se reconnaît dans l'intimité, non ?

— Moi, mettre en marche la dénonciation, moi ?

Comme s'il n'en avait pas l'habitude, le fauxjeton !

— Oui, vous, Monsieur le Ministre de l'Intérieur. Sinon qui ?

Il appela Figeac, qui se battait avec son chasse-mouches, n'écouta même pas l'objet du débat, mais voulut bien confirmer à son auguste confrère que tout ce que je demandais, en ce moment, avait valeur d'ordre contresigné par lui-même et le Président de la République, associés dans la plus intime cohabitation.

La chasse aux — vraies — rousses était ouverte !

Avec ce petit indice supplémentaire qui, tout de même, limitait un peu le terrain : elle devait être Française (à l'accent) et sans écharpe (si la mienne ne mentait pas) !

Je dois tirer mon chapeau et tout ce que je porte d'autre à la police française, parallèle ou non, car en un rien de temps, grâce à pas mal d'indics volontaires, j'avais sur mon bureau la liste des centaines de rousses bon teint qui ne portaient pas l'écharpe.

J'éliminai les trop jeunes — et les trop vieilles (à mon goût) — et me retrouvai avec quarante-huit personnes dont je demandai, pour plus de sûreté, la photo.

J'éliminai encore : les trop petites, les trop grandes, les trop corpulentes, les nez trop pointus... On se serait cru à un concours de beauté ! C'en était un.

Et je tombai sur le chiffre fatidique de 11.

Là, un dernier test, la voix.

Je convoquai un fin limier de mes amis, qui n'appartient pas à la police, lui, mais à l'industrie du cinéma. Ce qu'on appelle un *talent scout* aux U.S.A., et un recruteur en France. Un type qui s'occupe de faire en sorte qu'il n'y ait pas de chômage dans la beauté... Jolie fille en vue ? Vite un contrat, c'est toujours ça de barré sur les listes de l'A.N.P.E.

Je lui confiai un magnétophone des plus performants. L'un de ces petits bijoux indétectables que m'avait remis Victor en me disant : « Il s'appelle "reviens" ! Je n'en ai que dix exemplaires, ça vaut des fortunes. On se le glisse dans n'importe quelle poche et il n'enregistre que ce qu'on veut... » (Le drame des magnétophones ordinaires, c'est en effet qu'ils vous prennent dans tous ses changements de vitesse le dix tonnes qui passe sous vos fenêtres, et rien de votre interlocuteur...)

Antonin, élégant, détaché, imperturbable et non questionneur — sauf quand il est sur le terrain de ses exploits — partit donc avec la liste des « onze » en poche. Et le magnétophone.

Quand il revint, trois jours plus tard, avec onze cassettes dûment enregistrées, munies d'adresses précises éparpillées dans toute la France, je faillis lui sauter au cou.

J'allai plutôt m'enfermer au ministère, après l'heure du couvre-feu. Je ne voulais personne à portée d'oreille, sauf les micros habituels de Totor et de ses sbires, qui ne me gênaient pas plus qu'un chien ses puces. Vivre en écoute perpétuelle est un pli à prendre qui, finalement, n'est pas si gênant. Quand j'étais petit, Maman appelait ça : « Ton ange gardien ! » Ceux de Totor ont pris la relève, et ça ne change rien à mon comportement. Pas plus qu'au temps à l'ange de Maman, qui en a vu, je peux le dire, le pauvre ! A se faire moine !

J'écoutai donc — en famille à clous — la voix des rousses.

La mienne était la onzième, comme il se doit en période de non-chance.

— Pourquoi ne portez-vous pas d'écharpe, Madame ? demandait la voix câline d'Antonin.

— Parce que je ne suis pas aux ordres, moi, Monsieur !

Ça râpait ferme !

— Vous préférez le désordre ?

— Amoureux, oui. Et vous ?

Le reste se perdait dans un chuintement... Antonin m'avait prévenu : « Je ne sais pas ce qui s'est passé avec la cassette numéro 11, mais je me suis aperçu qu'elle n'avait pas enregistré jusqu'au bout... J'espère que les premiers mots vous suffiront ! »

Ah le chien ! Je saisis mon téléphone.

— Antonin !

— Quoi ? dit-il de la voix pâteuse de quelqu'un qui, en plus, a le toupet d'avoir sa conscience pour lui.

— La onzième, elle était comment ?

— Quelle onzième ? La onzième heure ?

— La onzième rousse ! Hypocrite ! Salaud !

— Ah, vous voulez dire la fille aux yeux verts, aux jambes interminables, à la bouche un peu grande, la peau laiteuse, une petite marque juste derrière...

— Derrière quoi ? hurlai-je.

— Euh, l'oreille..., dit-il brusquement, tout à

fait réveillé. Je l'ai aperçue parce qu'elle portait
ses cheveux relevés et...

— Tu t'en souviens un peu trop bien, drôle !

— Évidemment, c'était la dernière interro-
gée... Alors, quand on voit arriver la fin du
turbin, ça vous marque ! D'autant que je savais
que Colette m'attendait à la maison, et, dans
l'état où elle est en ce moment, j'étais pressé
de...

— Tu te l'es faite ? dis-je férocement.

— Oh non, Monsieur le Ministre, la consigne
c'est la consigne ! Colette est d'ailleurs très
obéissante, et elle a tellement peur du...

— Je ne parle pas de ta femme, je parle de
la rousse !

— Quelle rousse ? Non, non, Colette, n'al-
lume pas, ça n'est rien, c'est seulement Monsieur le Ministre...

Je raccrochai. Je n'en tirerais pas plus, mais
j'avais compris.

Somptueuse, elle était somptueuse.

Sur le coup de onze heures — trop tôt c'est trop tôt —, j'allai donc sonner à la porte du petit hôtel particulier du fin fond du XVIᵉ, mon quartier préféré, surtout le dimanche... Rien en vue sauf quelques dames d'œuvre, missel sous le bras, et des propriétaires de teckel, casquettes à pompon sur la tête.

J'aurais dû me méfier, en ce qui me concerne, et ne pas m'avancer tête nue : on ne m'ouvrit pas !

Le temps de prendre un café place de Passy, et je revins à la charge sous la forme de Jean-Marie qui avait troqué sa livrée de chauffeur pour un jean, porté avec sa souple désinvolture de Camerounais.

A lui, bien sûr, elle ouvrit, la raciste !

Comme Jean-Marie est bon chauffeur de maître, il maintint la porte entrouverte pour que je puisse y glisser ma Weston droite. Je suis droitier à tous les étages, si cela vous intéresse.

Nous pûmes donc pénétrer dans le fort défendu, ma Weston et moi, et, d'une main ferme, je prestidigitai Jean-Marie hors de la maison.

— Qu'est-ce qu'il vous a fait, ce pauvre garçon ? dit la voix dont je ne voyais rien d'autre, car elle était en contre-jour. Si vous vous croyez supérieur aux Noirs, je peux vous dire que vous vous trompez, surtout en ce qui concerne...

— Ça n'est pas un Noir, c'est mon chauffeur !

— Encore mieux ! Il n'a même plus droit à sa couleur sous prétexte qu'il vous sert ! De la part d'un ministre d'un gouvernement qui se dit démocrate et libéral...

— Vous m'avez reconnu ? Alors pourquoi n'avez-vous pas voulu m'ouvrir tout à l'heure ?

— Justement pour ça...

— Laissez-moi tout de même...

— Vous présenter, Charles Caule ? C'est fait.

— Vous dire réellement qui je suis.

— Je le sais.

— Non.

— Si.

— Non.

— Si.

L'impasse. Quand on a une dame de cœur et qu'on n'est pas son roi, ça risque d'être dangereux. J'abattis mon as :

— Je vous rapporte votre écharpe !

— Très bien. Où est-elle ?

— Entrons d'abord.

— Où ça ?

— Chez vous.

— Nous y sommes...

— Là où on peut voir clair !

Sans un mot d'invite, elle me tourna le dos et me précéda dans ce qui aurait été le plus authentique petit salon Régence que j'eusse jamais vu de ma vie, sans le chien. Car je demeure convaincu — si personne ne vient me contredire — qu'il n'y avait pas de chien-loup au XVIIIᵉ siècle. Le chien, lui, n'était pas d'époque et jurait dans le décor.

Je tentai de le faire discrètement remarquer à mon hôtesse, d'un coup de menton.

Elle me répondit du même coup de menton,

en plus accentué, qu'elle s'en moquait. Ralph était là, et il y resterait, parmi les bergères, les tapis, les Sèvres et autres inégalables préciosités.

L'embêtant, c'est que Ralph avait des idées d'arpenteur tout à fait précises. Je devais rester à moins d'un mètre. Pas de lui. En ce qui le concernait, il s'en foutait. Mais d'elle : je le sus tout de suite. Car je tendis évidemment les bras vers l'objet de tous mes désirs même les plus fous. Et Ralph, grondant comme si j'avais voulu lui chiper son os, se dressa sur ses quatre pattes dans une position que je connaissais pour l'avoir observée à l'entraînement des auxiliaires des polices spéciales. Exercice auquel Totor m'avait récemment convié, histoire de me faire constater que même les flics les plus durs la portaient, mon écharpe. Bravo Totor !

Je baissai aussitôt les bras. C'était tout ce que je pouvais baisser, le reste étant en dehors de ma volonté, et, semblait-il, des soucis de Ralph.

Il consentit à se rasseoir, tandis que mon idole se laissait tomber, telle une fleur du mâle, parmi un éparpillement de coussins blancs et des hectares de mousseline plissée main qui couvraient ce qui m'apparut comme un lit de repos.

Une véritable alcôve de duchesse !

Ida — le prénom que portait la onzième fiche — en avait d'ailleurs les perles. L'air. L'allure. L'insolence. Et rien d'autre jusqu'au bout des seins !

Comment une femme de sa superbe pouvait-elle se montrer les seins à l'air, et le reste aussi, à un homme qu'elle ne connaissait pas ? Sans avoir l'air d'en éprouver le moindre trouble ?

Sans même prétendre rajuster la cordelette de soie mauve qui tenait le long de son corps abricot — elle avait un teint de vraie rousse, c'était certain rien qu'à la peau, mais tout le reste me le confirmait crânement !— cette sorte de léger peignoir destiné à ne rien cacher du tout !

A faire non pas écran, mais écrin.

— Alors, me dit-elle dédaigneuse (de moi) et pressée (de ses intérêts), cette écharpe ?

Je dénouai aussitôt celle qui était à mon cou, voulut m'approcher d'elle pour la lui offrir, sentit monter la réprobation dans l'œil de Ralph, qui prévoyait mon geste et préparait le sien !

Je reposai le bout d'étoffe sur le haut de mes cuisses.

— Venez la chercher !

— Vous vous foutez de moi ?

— Je ne demande qu'une chose, moi, c'est de vous l'apporter en mains propres, et même à genoux ! Mais c'est le chien qui ne veut pas ! Dites-lui de sortir.

— Ça n'est pas mon écharpe !

— Ça va l'être, puisque je vous la donne !

— La mienne n'est pas comme ça !

— Comment ça, pas comme ça ? Celle-là, c'est du pur cachemire, venez tâter... Approchez-vous ! D'ailleurs, c'est écrit là, en lettres minuscules, juste au-dessous de la griffe du fabricant ! Venez voir !

Quand elle verrait ce qu'il y avait en dessous !

— Vous vous moquez de moi, Monsieur le Ministre !

Elle replia l'une de ses jambes, qu'elle posa négligemment sur le divan-lit. Elle eut ce toupet ! Dans l'état où elle était ! Peut-être pour que je puisse mieux admirer le galbe de sa petite mule ornée d'une espèce de fourrure que je n'avais encore jamais vue, un peu fauve, avec des reflets mordorés...

— Ah ! soupirai-je en ressortant mon Cholet qui commençait à avoir des airs à tordre.

— Eh bien, vous reviendrez quand vous l'aurez trouvée ! dit-elle en se dépliant pour me signifier ce qui devait être un congé.

Je me levai d'un bond désespéré.

— Ida, je vous en supplie...

— De quoi, mon cher ami ? dit-elle en consultant l'une de ces stupides petites choses que vendent les grands bijoutiers pour donner à penser que si les jolies femmes sont en retard, c'est que leurs montres-bracelets sont illisibles.

— Dites-moi ce qu'il faut que je fasse.

— Vous ne le savez pas tout seul ?

— Ce que je dois faire pour vous...

— Pour me quoi ?

Je faillis dire : « Vous tringler ! » C'était le seul mot qui me venait en bouche quand je la regardais ! Mais je fis l'effort surhumain de détourner mon regard de son déshabillé.

Petites statues érotiques sur la cheminée. Au plafond, des angelots décochaient des flèches. Par les portes-fenêtres, un parc où des faunes de pierre ricanaient. Restaient mes Weston qui n'avaient jamais donné envie de rien à personne, du moins jusqu'à présent. Je me mirai dedans et finis par articuler :

— Vous satisfaire...

— Eh bien, revenez !

— Dans dix minutes ? dis-je plein d'espoir.

— Quand vous aurez retrouvé mon écharpe...

— Mais à quoi vais-je la reconnaître ? Qu'a-t-elle de si particulier ?

— A vous de trouver, dit Ida tandis que Ralph me raccompagnait à pas mesurés mais sans appel vers la porte d'entrée.

J'eus un ultime geste d'amour fou ! Je m'emplis tant que je pus de l'air qu'elle avait parfumé et qui sentait... son odeur de rousse ! Je tentai de le garder comme ça, en moi, indéfiniment... J'étais sur le point d'étouffer quand Jean-Marie m'ouvrit la porte arrière de la voiture ministérielle. Je fermai les vitres à toute vitesse, même celles qui nous séparaient, mon chauffeur et moi, puis je lâchai enfin mon air. Son air.

Que j'inspirai et ré-inspirai, béatement, jusqu'au ministère.

A part ça, je n'avais pas une seule idée en tête.

... Mais j'en avais dans mes insomnies !

Je me redressais dans mon lit, halluciné, convaincu que c'était à nouveau comme en 14. Ou en 40. Qu'on était revenu au temps de Bir Hakeim et autres fronts épars de la France libre, quand la jeunesse française tombait comme coquelicots au vent !

Car qui était fauché en premier ? La jeunesse, bien entendu ! Les vieux sont continents. Ou prudents. Ou rien du tout.

Les vieux, en tout cas, sont préservés.

Mais les jeunes ! Imprudents ! Flambeurs ! Indisciplinés... C'est là-dessus que jouait le génie des publicitaires !

Fini tendresse, adieu émotion, bonjour la classe !

La classe, répétait la pub sur tous les tons, *c'est de savoir dire « non »*. Pas aux pâtes Panzani ni aux montres Cartier, mais « non » à ses instincts les plus bas.

On voyait des types grotesques en train d'ôter leur caleçon dans la chambre des filles, leurs chaussettes tirebourchonnées, se prenant les pieds dans la carpette... Des intellos binoclards venant d'ôter leurs verres et montant à l'assaut, la langue pendante, les mains en avant... Tout ça pour une étreinte qui, vraiment, ne valait pas le déshabillage !

Ou alors, on entendait gémir le matelas, bientôt couvert par des cris de bête du plus mauvais aloi. Jamais, au cours des siècles, le rut, le rut à l'état pur, le rut tout cru, tout nu, n'avait été autant démonétisé par une bande de créatifs fonctionnant à plein régime !

Les baisers, ah les baisers de la pub ! Des espèces de succions de ventouses à donner le haut-le-cœur à des vide-évier !

Ensuite — car il y avait un ensuite ! — le sortir du lit de ces messieurs-dames ! L'œil battu, la liquette chiffonnée, l'haleine mauvaise... Même Contrex ne suffisait pas à leur rendre leur ligne ni surtout leur bonne humeur.

Étreintes, je vous hais !

Il y eut des plaintes.

Des vieilles personnes qui écrivaient ou téléphonaient : « Je vous jure, de notre temps, ça n'était pas si moche que ça !... Ah ! l'amour dans les foins, au printemps, ou sous les toits... Ou alors en barque sur la Marne ! »

Tais-toi, Pépé, t'es plus branché ! Tout est changé !

— Le progrès, le progrès..., murmuraient les pépés abasourdis, il y a du bon mais aussi du mauvais...

— C'est comme l'architecture, disait la mémé, moi je préférais les cottages style anglais au Front de Javel. En amour, ça doit être pareil, ils ont innové. C'est plus pour nous, Léonet, viens, je vais te faire un chocolat...

La dégustation du chocolat avait en effet beaucoup augmenté. Comme celle des sucreries et même — on n'a rien sans rien — de l'alcool. Qu'importe le flacon pourvu qu'on ait l'ivresse, et tous ceux qui ne s'enivraient plus du parfum de leur blonde trouvaient la luxure au fond de

leur verre ! La Ligue antialcoolique avait décidé
— provisoirement — de fermer les yeux.

Les magazines féminins concouraient eux aussi
à la lutte anti-Sida en cassant leur « appel à la
ligne » : il fallait bien compenser, et, puisqu'on
compensait dans son assiette, forcément les
kilos grimpaient... Une nouvelle mode apparut,
celle des femmes grassouillettes. Les stylistes et
la haute couture se mobilisèrent à leur tour et,
patriotiquement, renoncèrent à taille-fine pour
petit-bedon.

C'était mignon et pas plus mal que ça, tout
compte fait ! On a toujours dit : les gros rassurent ! On se disait malgré soi : « Pour qu'il
(elle) ait tant grossi, c'est qu'il (elle) a été bien
abstinent... » Au lit, s'entend ! Ça fleurait bon la
sécurité...

Oui, la France recommençait à redevenir le
pays qu'elle n'aurait jamais dû cesser d'être, où
l'intérêt premier des citoyens portait sur le
camembert, le beaujolais nouveau, la baguette
croustillante, la pêche à la ligne... et les bicy-
clettes ! Les voitures rapides en prirent un coup :
à quoi bon les excès de vitesse quand on n'a
pas de rendez-vous ? Amoureux, s'entend.

Un zeste de Sodome et Gomorrhe, ou plus
exactement de partage des sexes, se fit jour...
Quand les hommes n'ont plus rien de bien
spécial à faire avec les femmes, ils préfèrent
vivre entre hommes : rugby, gros cigares (la
consommation de tabac était montée en flèche !),
pétanque, foot-ball, courses de chevaux, histoires cochonnes, mais d'anciens combattants !

Idem pour les femmes. Elles se ruaient à des
soirées de bienséance où, femmes entre elles,

on ne causait que chiffons, couches, biberons, nouvelle cuisine et nouvelles cuisinières, etc.

Comment ça, « couches » ? allez-vous dire. Et qui faisait les enfants ? Le corps médical, bien sûr, à l'aide de sperme éprouvé, chez des femmes séro-négatives, et à coups de pipettes. On faisait la queue pour se faire faire un gosse.

Et les familles nombreuses commençaient à repulluler, ce qui fait que la jeune dame en rose était de plus en plus maussade, parce qu'on n'avait même plus besoin d'acheter son livre pour avoir envie d'avoir des enfants.

Tout le temps qu'on ne passait plus à la baise était devenu du temps libre pour pouponner. Vous pensez si ces dames s'en donnaient ! Ce qui laissait soupçonner *a contrario* ce qu'elles en perdaient autrefois à faire les folles pour rien dans le lit des messieurs !

On en était arrivé à ce paradoxe : moins on baisait, plus on se reproduisait. Des agrégés de sociologie avaient là des sujets de thèses tout trouvés qui allaient donner à leurs patrons de belles migraines logicielles !

On tricotait beaucoup aussi, on rapetassait au point de croix tout ce qui tombait sous la main... Érotisme degré zéro, travaux d'aiguille en ascension !

Les pyschanalystes, en berne eux aussi, tentaient d'« interpréter » sur la place publique : tous les instruments pointus, aiguilles à tricoter ou autres, étaient, à les entendre, des substituts phalliques de ce qui ne pointait plus pour personne. Mais tout le monde se fichait de leurs interprétations et le négoce du divan tomba en chute libre : pourquoi aller voir un *psy* si ça n'est pas pour qu'il vous aide à parvenir à vos fins inavouables ?

Plus de fins, plus de *psy*. Toujours ça d'économisé... Comme ces messieurs-dames ne manquent pas d'astuce, ils reconvertirent vite fait leurs divans en crèches et pouponnières d'accueil pour la progéniture en hausse ! Les Maisons vertes de Mme Dolto firent fleurus. Maman, Papa, Bébé et Psy, tout le monde papotait à perdre haleine des après-midi entiers, tout sexe oublié, aboli, veuf, inconsolé.

Ça devenait drôle !

Non, c'était pas drôle du tout.

On m'avait surnommé le Marquis de Fade !

Certains prétendaient que j'avais recruté un bataillon de vestales pour vérifier si ceux qui roulaient encore des mécaniques avaient bien bouclé — avant de prendre la route — leur ceinture de sécurité !

Jamais ministre n'avait autant prié pour être bientôt privé de ministère et pouvoir rentrer dans ses fonctions, ses vraies fonctions, celles de mâle en rut !

Quand la baiserai-je, nom de Dieu ?

C'est Étienne qui trouva !

— Venez donc me voir, Charles. Nous en parlerons !

— De quoi ?

— Eh bien, de l'écharpe...

— Ah non, pas vous, Étienne ! Sinon, je vous serre le kiki avec !

— Enfin, Charles, vous savez bien que vous êtes liés, vous et la femme à l'écharpe ! Par l'écharpe, justement... Et je crois que je la tiens !

« On se calme, on se calme », hurlai-je en descendant quatre à quatre les escaliers de mon petit pavillon d'Auteuil, tandis qu'Adrienne, tout de suite au fait, ordonnait sec dans son téléphone :

— La voiture du ministre, et que ça saute !

Un instant plus tard, qui me parut un siècle-lumière, j'entrai chez Étienne.

— Voilà, voilà, dit-il en m'ouvrant la porte. Toi, Labo, va coucouche panier.

Labo, c'est le labrador qui ne pouvait pas me voir sans montrer, je ne sais pourquoi, sa batterie de canines. A croire que ces chiens-là sont nés dépourvus d'incisives.

— J'ai réfléchi, Charles, commença Étienne.

— Pas trop de circuits réflexifs, s'il vous plaît, Étienne ! J'en peux plus, moi, de courser ma souris dans son labyrinthe... De l'action, de l'action, de l'action !

— Il faut pourtant que je vous donne les

prémisses de mon syllogisme, si vous voulez être en mesure d'en savourer la conclusion !

Étienne et la rhétorique ! Encore un chapitre inentamable quand on est un homme pressé par l'amour.

— J'écoute ! dis-je en cherchant de l'œil Labo pour lui assener un coup de pied qui aurait soulagé mon impatience. Mais il avait écouté son maître et était allé se coucher avec le daim.

Le daim !

— Voilà, il faut toujours prendre les gens au pied de la lettre...

Moi, je l'aurais prise n'importe où, cette nana-là !

— ... Puisque cette Ida vous dit : "Rendez-moi mon écharpe", il faut la lui rendre !

— Mais *quelle* écharpe ? Elle ne m'a jamais dit laquelle !

— Y en a qu'une...

— Vous voulez dire l'écharpe anti-Sida ? Il y en a près de cinquante millions, désormais... J'ai même vu des chevaux qui en portent, des chiens, des chats... et des étrangers !

— Ce que vous pouvez être xénophobe, Charles ! A l'heure de la C.E.E., et si vous voulez que votre carrière...

— Étienne, je ne suis pas xénophobe, j'adore tout ce qui est étranger, ma montre est japonaise, ma chemise américaine, ma voiture allemande, mon stylo vient de Hong Kong, il n'y a que ma viande qui soit du Charolais (c'était vrai, j'étais né là, comme le meilleur des steak-frites !), mais, en l'occurrence, quand je vois *mon* écharpe au cou de n'importe qui, c'est comme si on me tirait sur mon absence de moustache ! Une provocation ! Un pamphlet !

Une... gifle ! Après tout, je vais sauver la France avec cette écharpe, alors qu'on se le dise et qu'on la mette au musée, si on n'en veut plus, mais pas au cou de n'importe qui. Ou de n'importe quoi !

— Ou d'Ida ?...

— Ida n'en porte pas.

— Plus.

— Comment ça, plus ?

— Regardez...

Et mon bon Étienne, qui valait toutes les polices parallèles à lui tout seul, probablement parce qu'il travaillait dans la tangente, de me sortir un journal... et une photo !

Sur laquelle on voyait Ida, bien reconnaissable, bien fauve, tout à fait elle-même, aux courses d'Auteuil, enveloppée dans l'écharpe, *mon* écharpe.

Photo couleur parue dans l'un de ces magazines qui n'ont rien d'autre à faire que des mondanités, comme si vous étiez invité !

Datée d'avant les événements. C'est-à-dire d'il y a deux ans...

— Vous voyez, répondit Étienne à mon silence. Elle l'avait bien. Et avant vous !

— Qu'est-ce qu'elle en a fait ?

— Probablement rangée dans son armoire... Mais quand elle dit que vous la lui avez volée, c'est bien vrai ! Vous pouvez feuilleter tout le magazine : à l'époque, elle était la seule à la porter... Ça n'est pas comme maintenant où même ma grand-mère — qui Dieu sait, la pauvre femme, n'a rien à craindre ni pour elle ni surtout pour les autres — ne peut pas aller acheter son pain sans se la mettre en évidence !

— Mais comment puis-je la lui rendre si elle l'a conservée ?

— Ne vous faites pas plus bêta qu'un énarque qui a réussi son concours, Charles. Elle parle "symboliquement"... Imaginez la tête de la Dame aux Camélias si toutes les dames de la haute, de la moyenne et de la basse, à l'époque, s'étaient fleuries de sa fleur préférée ! Elle aurait eu l'air de quoi ?

— De plus rien.

— Voilà ! La femme à l'écharpe vous reproche d'avoir fait d'elle une femme quelconque...

— Ida, quelconque ! C'est impossible... Je vais le lui dire, le lui écrire, le proclamer !

— Vous serez bien avancé. Si vous tenez absolument à conquérir cette femme...

— Passez tout de suite à la phrase suivante, Étienne...

— Eh bien, faites ce qu'elle vous demande !

— Oh !

— Enlevez le "oh" et trouvez un truc...

— Bah !

— Enlevez le "bah" et proclamez l'abolition du port de l'écharpe... Maintenant que le Sida est en voie de régression...

— Parce que vous croyez que je suis l'arbitre de la mode ?

— Vous l'avez prouvé ! Alors, recommencez ! Avec une promulgation du genre : désormais, chers concitoyens, le port de l'écharpe anti-Sida est réservé aux seuls séro-positifs ! Renversez vous-même votre propre vapeur, que diable !

— Étienne, vous avez la machination dans le sang !

Je sautai sur lui ! Avant de sauter jusque chez elle.

Ma très chère était nue. Aux mains de son masseur. Mais, je dois cette précision à la décence, complètement habillée de l'intérieur.

— C'est pour quoi ?

— Pour votre écharpe.

— Pour les fournisseurs, c'est la petite porte, dit-elle, croyant me déconcerter.

— Ida, je vous la rapporte...

Le type était costaud. Une espèce de sumo mâtiné de bouledogue. Ce qui ne l'empêcha pas d'aller valser contre le mur du fond, tandis qu'elle enfilait une sorte de mousse verte qui avait dû servir à des générations de sirènes en train d'enjôler les navigateurs des 40e rugissants.

Je n'étais que le quarante et unième.

— Passez devant, dit-elle, voyant mon œil.

Je la précédai donc dans le salon Régence.

— Où est-elle ?

— C'est symbolique.

— Vous vous moquez de moi ?

— Vous serez seule à la porter... Si vous voulez ! Le Sida est sous contrôle.

— Vous vous foutez de moi !

— Je vous jure que non. Le professeur Faribole a été formel.

— Écoutez-moi, mon petit ami, ça n'est pas *une* écharpe que je veux, ni le droit de la porter, c'est *mon* écharpe...

— Mais où l'avez-vous perdue ?

— On me l'a dérobée...

— Mais qui ?

— Vous devez bien le savoir, puisque vous l'avez copiée... Du jour au lendemain vous en avez fait fabriquer de quoi faire cent fois le tour de France, mais moi, la mienne avait disparu !

— Mais enfin, Ida, qu'avait-elle de spécial, votre écharpe !

— C'est mon affaire, dit-elle en ramenant tout ce qu'elle put de mousse sur ses poumons et sur ce qui poussait dessus.

— Pour le Sida, dis-je dans l'espoir de me faire dorloter, si ça continue, je vais bientôt me retrouver au chômage...

— J'espère que vous avez suffisamment cotisé, me dit-elle en tirant sur les poils de sa petite mousse, comme pour mieux la disposer.

Je ne savais pas nager avec ma sirène !

— Je veux dire que cela va être fini, pour ce qui est du port de l'écharpe...

Je crus voir pointer une oreille à travers la crinière rousse, et j'appuyai sur le champignon :

— On va pouvoir la mettre au rancart, sous globe, en faire des feux de joie... Mais plus besoin de l'exhiber ! Le message est passé, et...

— Vos affaires publiques ne m'intéressent pas, coupa-t-elle. Pour ce qui est des privées, c'est-à-dire mon écharpe...

— Il faut que vous me la décriviez ! Même la rue des Morillons demande des précisions quand on vient chercher un parapluie, et Dieu sait qu'ils en ont à revendre...

— Elle est à carreaux !

— Ida, vous faites exprès de me désespérer ! Voyons, tâchez de bien vous rappeler... Elle

n'aurait pas un petit signe spécial, un mono-
gramme, ou même un coin déchiré, une reprise,
une tache quelconque ?

— Je ne porte que des objets neufs. Quant
aux taches quelconques...

Je ne voulus pas la laisser terminer sa phrase
qui menaçait d'être injurieuse pour celle que je
faisais dans son intérieur, et j'enchaînai :

— Alors, elle est comme toutes les autres ?

— Absolument ! Sauf que c'est la mienne.

Et allez donc ! On aurait cru, pardon pour la
vulgarité, qu'elle parlait de la partie la plus
convoitée, par moi, de sa personne... Il est bien
vrai que toutes les femmes se ressemblent par
ce bout-là, excepté celle dont on est amoureux !
Il fallait me rendre à l'évidence : Ida était
amoureuse de son écharpe.

— Donnez-moi une clé, une seule...

— Et pourquoi pas celle de ma porte ?

Son rire grinça. Le vert de ses yeux devint
glauque.

L'entretien était terminé.

Ce qui lui servait de tripoteur diplômé vint
s'encadrer dans la porte, ayant probablement
repris sa respiration après quelques *asanas* de
son cru.

— A propos, où est Ralph ? dis-je d'un ton
insidieux.

— A propos de quoi ? susurra Ida qui le
savait parfaitement.

— A propos de chien-policier, dis-je pour
détourner les soupçons du bouledogue de son
propre cas. Il a dû flairer votre écharpe, lui. Il
saurait la retrouver. Tandis que moi, je n'ai pas
eu ce privilège...

— Vous êtes très drôle.

Sans doute alléché par l'odeur de son nom, Ralph surgit ventre à terre, et, puisqu'il avait raté mon entrée, s'occupa de ma sortie.

Le professeur Faribole m'attendait dans mon bureau.

— Nous tenons le bon bout, me dit-il dès qu'il m'aperçut.

— De quoi ? lui dis-je l'air absent, et d'ailleurs c'était vrai, demeuré que j'étais dans le salon Régence.

— Enfin, de notre Sida ! Nos courbes sont en complète déflation...

— Des quoi ?

— Vous êtes fatigué, Monsieur le Ministre, et je le comprends. Votre secrétaire m'a expliqué — dans une langue que je n'avais plus entendue depuis mon internat ! — que vous aviez travaillé nuit et jour, ces dernières semaines... Mais les résultats sont là !

Le professeur sortit de son attaché-case une formidable quantité de dossiers qu'il entreprit de m'expliquer feuillet après feuillet.

J'ouvris le tiroir de gauche de mon bureau, celui où je range mes cigarettes turques, les mauves à bout doré, et je me mis béatement à suçoter ce tabac pour jeune fille avec ce qu'il me restait de salive. Faribole dépensait la sienne à m'expliquer, sur le ton du triomphe, que la France était en train de triompher du Sida.

Chaque fois qu'il disait Sida — bonheur ou horreur ! — j'entendais Ida.

Tout à coup, la « chose » me sauta à l'esprit !

Ida n'avait dit ni oui ni non. Une chanson me

vint aux lèvres que je me mis à fredonner immédiatement : *Ida oui, Ida non !*

Le professeur leva de ses dossiers un œil à faire frémir une bande d'externes.

— Pardon ?

— Rien, Professeur, c'est un petit refrain que l'on vient de m'apporter ! Une idée de publicitaire, vous savez comment ils sont ! Pour intensifier la campagne qui démarre si bien ! Et elle m'obsède, oui, elle m'obsède !

— Moi aussi, dit le professeur qui pensait à ses statistiques. Mais ne vous laissez pas obséder à ce point-là, Monsieur le Ministre, nous allons gagner ! Nous venons de mettre au point un système...

Pour une fois, je fus reconnaissant aux nombreux micros dissimulés un peu partout dans mon bureau. Car à peine le professeur disparu, je me précipitai chez Victor et, après supplications et transactions dont je ne révélerai ni la nature ni l'objet, obtins de lui qu'une de ses polices acceptât de me donner un double de la cassette de ce que je venais de ne pas entendre...

En somme, je m'espionnai moi-même et c'est ainsi que j'appris où en était la France ! Le « système » du professeur Faribole pour faire rebrousser le Sida dans les horribles cavernes dont il n'aurait jamais dû sortir, consistait en un examen extrêmement pratique. Aussi facile à se faire soi-même qu'un test de grossesse, si on suivait bien les instructions !

Si rapide que c'en était terrifiant : Sida oui ? Sida non ? On avait la réponse dans l'instant.

Encore quelques semaines, le test serait commercialisé, ce qui fait qu'avant chaque « rapport », chacun y soumettrait son partenaire

et on n'en viendrait à l'acte qu'une fois le double
« feu vert » donné par le corps médical, tiers
présent sous la forme d'un petit bout de papier
à imbiber de salive ! Le baiser de l'anti-Judas,
en quelque sorte !

— Il faut quand même trouver un traitement,
avait conclu Faribole, sinon je ne donne pas
cher de la peau de ceux qui se révéleront positifs
au dernier moment... Mais en ce qui concerne
le vaccin, je ne me fais pas trop de bile. Les
Américains sont sur le point d'aboutir.

— Pourquoi pas nous ?

— L'écharpe nous a coûté trop cher. Plus de
crédits ! soupira Faribole.

Ma cassette s'arrêtait là, elle aussi.

Quand les premiers échos commencèrent à m'en parvenir, je n'en crus pas mes oreilles. Les Français ne voulaient pas.

Quoi ?

Disons les choses comme elles sont : se remettre à baiser !

Les campagnes anti-baise, comme les appelaient vulgairement le public et les publicitaires, avaient réussi au-delà de toute espérance. Messieurs les publicitaires s'en frottaient ouvertement les mains : être plus puissants, chez les Français, que le goût de la baise — pour lequel nous sommes si réputés à l'étranger —, voilà qui était de leur point de vue un coup de maître. Les maîtres de la France, à les entendre, ça n'était pas le gouvernement, c'étaient eux !

Et les voici à présent qui veulent se faire prier — c'est-à-dire, cette fois, payer — pour renverser la vapeur ! Comme un hypnotiseur qui vous aurait endormi gratuitement et qui réclamerait une fortune pour vous réveiller ! Il fallut que le Président de la République, généralement au-dessus de la mêlée, s'en mêlât.

Le Président tenait à ce qu'on fît l'amour, dans son beau pays de France, et on allait le faire, sacrebleu ! Si les publicitaires ne montraient pas de bonne volonté, il allait concéder l'une de ses rares et d'autant plus prisées apparitions à la télévision pour dire à tous les téléspectateurs : Françaises, Français, vous m'avez compris, la voie est libre...

Tel était l'objet du « Le Président vous parle à vingt heures de l'Élysée », et nous étions tous tremblants devant nos postes en nous demandant comment il allait s'en sortir... Nous risquions de sombrer dans le ridicule, sinon pire. Tout le monde se souvenait de la phrase d'une célèbre campagne électorale : « Monsieur le Président, vous n'avez pas le monopole du cœur... » S'il prenait idée à celui qui occupait actuellement le poste de la paraphraser pour faire un « mot », où allions-nous ?

Nous avions tort de nous faire du souci, au gouvernement. Le Président est notre maître à tous quand il s'agit de tout dire sans rien dire. Il n'y avait pas un vocable dans son discours qui pût donner envie d'envoyer les enfants se coucher, bien qu'il ne fût que vingt heures. Tout le message était dans le ton, onctueux, dans la voix, charmeuse, la main, caressante... Oui, il y avait de la caresse dans l'air, ce soir-là, sur toutes les chaînes et toutes les radios. Une sorte d'irrésistible Aimez-Vous les Uns les Autres !

A vous jeter dans les bras des uns et des autres !

Moi, je pensais à Ida, jamais je n'avais autant pensé à elle...

Le Sida était fini, Ida commençait.

Bob était mon meilleur copain depuis la classe de sixième. On avait les mêmes goûts en tout, sauf pour ce qui est des filles. Bob ne les aimait pas. Ce qui m'arrangeait bien. D'autant qu'il avait une manière très spéciale de ne pas les aimer : il les épiait, les cafardait, savait tout sur chacune et, dès nos douze ans révolus, j'étais informé, grâce à lui, sur celle avec qui je pouvais pousser ma pointe. Laquelle avait un père féroce, le cœur tendre ou le corps facile.

Bob balisait, je n'avais plus qu'à atterrir... A la limite, il faisait même le pilote automatique. Ça berçait sa mélancolie.

Bob était le type le plus triste que j'aie jamais rencontré.

D'ailleurs, je l'appelais Bobo.

Homo ? Longtemps je me suis posé la question. Avec moi, en tout cas, la discrétion même. On n'échangeait pas plus une poignée de main qu'un chandail. Entre nous, le lien n'était que verbal, mais alors là, constant.

Bobo parlait tout le temps. Il faisait les questions et les réponses, et je pouvais sortir de la pièce, aller préparer le thé, revenir avec le plateau, il n'avait pas cessé de discourir...

Où ! quand ? avec qui — ou quoi ? — a-t-il chopé le Sida, je n'en sais rien. Mais ce fut moi, quand il m'apprit la nouvelle, qui devins triste, archi-triste.

Et Bob muet. Pour la première fois.

— Mon pauvre vieux, finit-il par me dire. Ça t'en fiche un coup !

— Qu'est-ce qu'on va faire ?

— C'est plus qu'est-ce qu'on va faire, désormais, c'est qu'est-ce que *je* vais faire...

— Tu te soignes ?

— Curieusement, oui.

— Pourquoi curieusement ? C'est normal, non ?

— Je veux dire que si je me soigne, c'est par curiosité. Tu vois, Charles, on m'aurait dit il y a quelques mois que j'allais attraper le Sida, j'aurais répondu : "Alors, moi, là, dans les dix minutes, je me balance par-dessus le Pont-Neuf ! Un contagieux de moins, un !..." Et puis, finalement, ça m'intéresse de voir ce qui va m'arriver...

— Tiens bon, tiens bon, ils sont au bord de trouver un traitement.

— C'est pas la biologie qui m'intéresse, c'est la psychologie.

— Que veux-tu dire ?

— La psychose ! La fantastique trouille des uns et des autres devant la mort des uns ou des autres. Tu as lu Zorn ?

— Voui...

Ce Suisse qui raconte son cancer avant d'en mourir, c'est pas exactement la lecture que je lui aurais conseillée, s'il m'avait demandé.

— Eh bien, je me sens dans la peau d'un nouveau Zorn ! J'observe, je note, peut-être vais-je enfin l'écrire, mon roman. Tu sais, celui avec lequel je te tanne depuis la seconde et mon premier 18/20 en français...

— T'étais le meilleur, et de loin !

— Sauf que ça ne sera pas un roman, mais du vécu !

— On mettra quand même "roman" sur la couverture, c'est plus vendeur ! Et nous fêterons les premiers cent mille ensemble !

— C'est ça, t'apporteras ton Perrier-Jouët sur ma tombe !

— Bob, tu m'emmerdes !

— Tu as raison, Charles. Promis, on n'en parle plus !

Il avait tenu parole. Dégringolé. Repris. Rechuté. Rémissionné. Tout ce temps-là, il s'était tu. Il me disait seulement qu'il écrivait, mais je n'avais pas le droit d'en lire une ligne.

— Seulement quand ça sera fini.

— Fini quoi ? dis-je, inquiet.

— Ben, ce que je fais, m'avait-il répondu avec son sourire le plus ambigu sur ses lèvres de plus en plus minces. Et un peu blanches, ces temps-ci. Mais ses numérations, c'était comme son manuscrit : top-secret !

Bob, en fait, était un as. Mon frère. Mon double.

Et si j'avais accepté de prendre le ministère, c'était aussi en pensant à lui : il *fallait* que ça s'arrête. A cause de types comme lui qui avaient la classe, la vraie, pas celle que vous confère une écharpe.

L'écharpe, il avait été un des premiers à la porter. Parce qu'il avait un peu froid, je crois, et qu'il ne voulait pas s'enrhumer... Dangereux, dans son cas. Et puis, ça l'amusait de proclamer au monde son abstinence. Lui qui l'avait été — ou pas ! —, abstinent, avec une telle discrétion.

Ce jour-là, Bobo, emmitouflé jusqu'aux oreilles

dans l'écharpe à carreaux, vint me rendre visite au ministère.

— Je te croyais à l'hôpital ?

— Libéré... Rémission !

— Chouette !

— Hibou, chou, genou, pou... Ils m'ont vidé parce qu'ils avaient besoin de lits pour de nouveaux arrivages. Mais ma place est retenue à perpète par Mademoiselle Adèle...

— Qui c'est, celle-là ?

— Ma fiancée...

— Tu me la présenteras ?

— A quoi bon, Charles, en ce moment...

— Excuse-moi, vieux réflexe. Alors, quoi de neuf ?

— Je sors de l'hosto, tu es au gouvernement et tu me demandes quoi de neuf ?

— Ben oui, mon vieux. Toi, tu es en première ligne. Moi, je suis comme les vieux généraux de 14 à l'arrière, en casemate, et de plus à moitié sourd à cause de mes téléphones ! dis-je en me plaquant les deux mains sur les oreilles. Alors c'est toi, le fringant lieutenant de la première batterie, qui peux me donner des nouvelles de l'ennemi !

— Il y a du mieux et du pire.

— Parle-moi du mieux.

— Les agonisants sont morts...

— Tu parles d'un mieux !

— ... les mourants meurent moins ! Faribole a dû mettre de la mort-au-virus dans sa soupe au Sida, les rémissions se prolongent... Tu sais comment ça s'appelle, une rémission qui se prolonge ?

— Non...

— Eh bien, ça s'appelle la vie, mon vieux !

Faribole et Cie — il ne doit pas travailler tout seul, j'imagine — semble avoir redécouvert le secret de la vie. Ceux qui ont tenu tiendront.

— Et le pire ?

— C'est moi.

— Comment ça, toi, tu as tenu !

— A un fil...

— Alors ?

— Ça peut casser !

— Non, Bob, j'ai besoin de toi !

— Pour quoi faire, mon grand ?

— Pour être, tiens, mon chef de cabinet !

— Je vois ça d'ici : le chef de cabinet du ministre du Sida l'a !

— Quoi, sidala ? Parle français !

— Le chef de cabinet a le Sida !

— Et alors ? Ça prouve qu'on est dans le vent, dans le concret, chez nous, qu'on n'est pas un ministère en l'air comme certains que je ne nommerai pas !

— Charles, je t'adore !

— Moi aussi, mon vieux !

— Dommage que j'aie le Sida, sinon !

— Sinon ?

— Tu ferais bien de faire attention à ton écharpe, elle glisse...

L'élégance de Bob.

Le sourire de Bob.

C'était cela qui m'avait fait flipper, quand j'étais allé le voir, à sa première hospitalisation, à la Salpê. J'avais commencé par m'égarer dans les services, celui des femmes, celui des enfants, puis, le cœur si serré que je n'arrivais pas à poser de questions, j'avais aperçu Bobo par une porte entrouverte.

Il ne me voyait pas. Il avait l'air d'un petit vieux avec ses épaules voûtées, maintenu par des oreillers pour aider sa respiration — il avait chopé un microbe pulmonaire —, le cheveu ras.

A-t-il senti ma présence ? Il a tourné la tête de mon côté, et m'a souri. Ma grand-mère m'avait souri ainsi, juste avant de mourir. Et aussi mon grand-père. Des années plus tard, je me demandais encore d'où venait ce sourire : du besoin de me rassurer ? De se rassurer eux-mêmes sur leur état ? Ou était-ce déjà le sourire de l'« ailleurs » ?

— Qu'est-ce que tu fais là, vieux ?

— Je viens te voir !

— Y a rien à voir... File...

— A moi d'en juger, non ?

— Toujours ergoteur...

Et c'est lui qui s'était mis à me demander de mes nouvelles. Évidemment.

— Comment va Ida ?

— Bien, je crois.

— Comment ça, tu crois ?

— Elle est en voyage.

— Charles, tu mens.

— Bon, nous nous sommes quittés.

— Tu mens.

— Je l'ai quittée.

J'eus le sentiment qu'il se recroquevillait un peu sur son lit. Puis il allongea bien ses deux bras sur le drap, ses mains s'ouvrirent, ses grandes et longues mains d'intellectuel qui ne lui servaient qu'à tracer des idéogrammes dans l'espace.

Là, ses mains ne disaient rien.

Soudain, l'index de la main gauche, qui n'était pas encore décharné, s'agita faiblement.

— Je ne te crois pas, dit Bob.

— Mais je te jure...

— Tu ne la quitteras jamais. Même si vous êtes séparés.

— Écoute...

A ce moment-là, elle est entrée.

Elle était blonde. Naturelle. Sans la blouse blanche, je l'aurais prise pour une fillette.

— L'heure de la température ! dit-elle.

— Vous devriez prendre celle de mon ami, je suis sûr qu'elle vient de faire un bond en avant, dit Bob.

Je ne pouvais jamais rien lui cacher, l'animal.

— Je te présente Adèle. Elle fait tout ce qu'elle peut pour me faire croire que je suis malade...

— Il n'y en a plus pour bien longtemps ! dit Adèle.

— Et même que je suis mourant, comme tu peux voir..., dit Bob qui voulut éclater de rire et se mit à tousser lamentablement.

— Je veux dire — et vous le savez très bien
— que vous allez bientôt sortir.

— ... les pieds devant ! continua Bob entre
deux quintes.

Adèle se tourna vers moi, comme si elle venait
de m'apercevoir :

— Est-ce qu'il est toujours comme ça ?

— Rigolo ? dis-je. Oui.

— Alors tout va bien. Il n'a pas changé, dit
Adèle en le calant d'une main preste sur ses
oreillers en cavale.

Bob avait retrouvé un peu de respiration.

— Je te présente Adèle. Je t'en avais parlé.
Ma fiancée...

— C'est la première fois qu'il me présente
une fiancée, dis-je parce que c'était vrai.

— L'embêtant, dit Bob, c'est qu'elle n'est pas
fidèle, Adèle... La garce s'est fiancée avec tout
l'étage ! Je la comprends : s'il lui en reste un
seul à épouser, ce sera parce que ces corniauds
de *bio* se seront trompés dans leurs analyses !
Alors elle joue tous les chevaux à la fois...

— Je n'ai jamais eu très confiance dans les
hommes, dit Adèle.

Elle me regarda et je sentis qu'elle disait ça
pour moi.

Bob lui avait-il raconté, au sujet d'Ida ?

Je ne sais pas ce qui m'a pris.

Ida ? Sida ?

Ou quelque chose de plus vieux, de plus
profond, de complètement enfoui qui resurgis-
sait comme ça, sous le manteau de la gaudriole ?

— Il y a pourtant des gens qui ont confiance
en moi, commençai-je.

— Tiens donc, et qui ça ?

— Par exemple le Premier ministre...

— Ah ? Tu m'en diras tant...

— Il vient de m'offrir un poste qu'il crée spécialement pour moi !

— Pas possible ! dit Bob. Le ministère de la Baise, je suppose ?

— Tu brûles, mon vieux, sauf que c'est le contraire : le ministère de l'anti-Baise. En fait, le ministère du Sida...

Ils eurent un bref moment d'hésitation. Je les sentis sur le point de penser que c'était vrai. Après tout, dans la tourmente que nous étions en train de vivre, c'était plausible, non ? Qui ne se souvient du ministère des Réformes, de celui des Colonies, du Tourisme, de la Condition féminine, de bien d'autres encore ? Alors, un ministère du Sida, en temps d'urgence, ça ne fait qu'un placebo de plus !

Puis, tous les deux en même temps éclatèrent de rire.

— Raconte, dit Bob.

C'est ainsi que cela commença.

Charles sans Ida

Tous les matins, désormais, Jean-Marie vient me chercher avec la voiture de fonction à deux téléphones. Cet appareillage m'attend bien sagement sur le trottoir, jusqu'à ce que le blondinet à moustache s'impatiente et m'appelle sur l'un des deux postes.

— Je suis là, Monsieur Charles.

— J'arrive, Jean-Marie.

Ces temps-ci, j'ai du mal à sortir de mes fantasmes nocturnes.

Du mal à faire réchauffer le café que la femme de ménage m'a préparé la veille.

Pourtant, mon boulot m'attend. Et dans mon boulot aussi, il s'agit de fantasmer.

Mon job, c'est de faire rêver l'Entreprise. Donner de grandes — et de petites — secousses à tous ces gens sans imagination qui attendent que j'en aie pour eux.

Dès que Jean-Marie m'a largué au bas de l'immense building verre et acier et que je pénètre dans l'ascenseur, les bisous commencent.

Je prends toujours l'ascenseur numéro 6, mon chiffre, elles le savent et s'y précipitent en même temps que moi, comme par hasard. J'adore bisouter les secrétaires. Les ravissantes et les moins. Les jeunes et les moins. Les parfumées et les pas du tout.

Mais à la moindre familiarité de leur part, mon humeur tombe à − 273°, le froid absolu. Je suis capable de ficher à la porte, avec, dans l'instant, indemnités et Jean-Marie qui raccompagne. Ça s'est fait et ça se refera.

Il n'y a que moi qui ai le droit de baiser au-dessous de moi.

Si le bas s'en mêle, c'est l'anarchie.

En ce qui me concerne, le seul qui ait sur moi privilège de bisous, c'est J.M.P.P., le grand patron. Il lui arrive de se pencher par-dessus son bureau en m'indiquant du doigt un petit coin de sa joue pour que j'y dépose affectueusement mes lèvres.

La réciproque n'existe pas. Je n'ai pas à prendre l'initiative d'embrasser mon patron.

Ainsi se pratique la hiérarchie, dans l'Agence, comme d'ailleurs dans toutes les grandes entreprises modernes. Le droit de bizuter et de bisouter appartient à celui qui est juste au-dessus de vous, et s'en va descendant, échelon par échelon, l'échelle sociale.

Mais ne la remonte pas.

Comme chez les babouins.

Aujourd'hui, il fait un froid d'avril, fleuri et ensoleillé. Je frissonne dans mon petit complet gris pâle. Ida m'aurait dit : « Il fait beau mais froid, mets ton imper. Mieux, enfile un gilet de cachemire sous ta veste, pourquoi pas le jaune ? »

Maintenant, si j'ai la grippe, je la soignerai tout seul.

Ou pas du tout, car j'ai un immense boulot sur les bras.

Une campagne d'intérêt national dont on a chargé l'Agence et dont le patron s'est débarrassé sur moi. Elle est destinée non pas à l'un ou l'autre de nos clients, mais à l'ensemble de l'industrie et de l'économie françaises. C'est le

C.N.P.F., le patronat, qui l'a commandée, et le plus curieux est que les syndicats s'y sont associés ! Ainsi nous touchons des deux côtés ! « Il y a intérêt à ce que ce soit réussi ! m'a dit J.M.P.P. La sauce suprême ! »

Il s'agit — ni plus ni moins — de « déculpabiliser » la société française !

C'est après étude commandée par le gouvernement que des « réflexifs » — c'est-à-dire des types chargés de voir plus loin que la semaine prochaine et le prochain terme — se sont aperçus que les Français *devaient* — et donc allaient — se sentir coupables.

Ce qui freinerait inévitablement la consommation, puis la production.

A cause des petits enfants qui meurent de faim dans le monde entier, les Français vont forcément regarder leur assiette d'un autre œil, moins jeter dans les poubelles, se mettre à utiliser les restes.

Les Français vont aussi se sentir coupables sur le plan des voyages ! Allez donc faire du tourisme quand les paysans africains, malgaches, égyptiens sont transformés en squelettes ambulants dans des bidonvilles sans eau, tandis qu'en Amérique centrale ils sont décimés par les guérilleros d'un bord ou d'un autre. Ou par l'armée régulière. Ou par les polices d'État, comme au Chili.

Cela ne peut que jeter une ombre glacée sur les superbes affiches — en papier lui-même glacé — des compagnies aériennes qui vont devoir réajuster leurs tarifs à leur prochaine absence de clients, c'est sûr !

Grave menace aussi sur le marché de l'amour !

Avec le Sida, moins de vente de petits dessous

affriolants, de caleçons à fleurs, de draps de lit de couleur à donner envie de se damner dedans, moins de matelas à trempoline, de décapotables dragueuses, de parfums et d'eaux dentifrices qu'on laisse traîner derrière soi comme autant d'hameçons.

En somme, moins de pièges à désir !

Le désir, avec le Sida, on se le rengaine.

Il n'y a que la télévision qui ne risque rien, bien au contraire : les écrans vont s'agrandir comme on élargit ses fenêtres quand on ne sort plus de chez soi. Et plein boom sur les basketts et autres articles de sport, sans parler de l'alcool et des cigarettes, tous ces trompe-la-faim-d'amour !

Car ça n'est pas vrai, ont conclu les réflexifs, qu'on vit d'amour et d'eau fraîche. L'amour consomme beaucoup de tout.

Surtout l'amour moderne, tel qu'on l'a pratiqué ces dernières années, sans tabous ni frontières.

Le coup de frein du Sida risquait d'être une catastrophe sur le plan du *sex-appeal* : plus personne n'appellera plus personne, sexuellement parlant, sauf par téléphone. Mais les P.T.T. sont un service public, d'ailleurs sursaturé, et qui fait rarement appel aux agences de pub.

Pour nous aussi, la situation s'annonçait gravissime.

Entre deux bisous, J.M.P.P. m'a glissé :

— A partir de maintenant, mon petit Charles, vous prenez les moyens que vous voulez ! Vous partez en vacances si cela doit vous aider à être performant ! Vous faites une croisière avec la rousse de vos rêves ou bien vous vous enfermez, avec ou sans elle, dans un appartement au Ritz où tous vos repas vous seront servis dans votre chambre. Au Crillon, si vous préférez la vue sur la Concorde. Mais vous me "déculpabilisez" en vitesse la France et les Français. Avant que le mouvement ne soit amorcé et la cote d'alerte atteinte ! Je vous donne quinze jours !

J'avais les mains libres, sinon la cervelle !

Comment fait-on pour faire oublier le reste du monde à cinquante-cinq millions de Français ? J'aurais bien eu quelques idées, en m'appuyant sur quelques précédents...

Mais comment leur faire oublier le Sida ?

Bob me manque pour « idéer », c'est-à-dire réfléchir. Bob est mon bras droit à l'Agence, comme je suis celui de J.M.P.P.

On dirait qu'on commence à manquer de bras dans la pub !

L'un a le Sida, et l'autre — par fol amour — sombre dans la déprime.

Je savais bien qu'ils étaient morts « comme ça », les miens. J'avais vu des photos. J'avais scruté les immenses yeux noirs des enfants en train de mourir de faim avant d'être gazés.

On dit « les innocents ». Ça n'est pas vrai. Les enfants qui meurent par la faute des adultes ne sont pas innocents : ils savent tout et leur regard de poix brûlante est insoutenable.

Celui des petits enfants atteints du Sida aussi.

A l'hôpital où je retournais de plus en plus souvent, comme si je cherchais quelque chose ou quelqu'un, on m'avait affublé d'une blouse blanche. Pour que je n'introduise pas de germes dans les chambres stériles, et aussi, je présume, pour que j'aie l'air d'un médecin. D'un soignant — pas plus impuissant que les vrais, hélas — et pas plus curieux.

Je n'étais pas un curieux, j'étais revenu à ce jour de février où ils les ont emmenés tous les trois, après les avoir arrêtés dans cette ferme de l'Aveyron où ils se croyaient à l'abri chez de braves paysans. Mais d'autres paysans pas tellement pires nous avaient dénoncés.

Moi, la brave femme est parvenue à me garder. Elle avait un nourrisson de mon âge, et elle a prétendu que nous étions deux jumeaux. Que j'étais son fils, comme l'autre, auquel je ressemblais un peu, par bonheur.

Ils ont battu son homme, presque à mort,

pour nous avoir dissimulés, mais ils ne l'ont pas tué.

Je n'ai pas souvenir du regard que mon père et ma mère ont dû lancer sur moi, leur dernier regard. Leur dernier baiser. La dernière fois que j'ai senti son odeur à elle. Mon petit frère aîné marchant entre eux deux. Je ne sais pas. J'invente. J'imagine.

Ida, je voudrais te dire...

Ida m'écoutait et j'ai fermé la trappe.

Aujourd'hui je suis seul, adulte, devant ces enfants atteints du Sida qui me dévisagent. Ils sont malheureux. Leur mère, parfois, est auprès d'eux. C'est elle qui les a contaminés, bien sûr. Elle est séropositive et ne mourra pas forcément. Elle a couché avec un type qui avait couché avec un homme ou qui s'était piqué. Une fois, comme ça, par hasard...

Il suffit d'une fois.

Tous les beaux mots de la langue, les mots poétiques peuvent se transformer en mots noirâtres. Abominables. Désespérés.

Ce que je voyais là, c'était le désespoir absolu. L'impuissance. La punition. L'expiation. Tout le monde veut bien mourir, tout le monde s'y attend, tout le monde « doit » sa mort à la terre — mais pas comme ça.

Dans la déchéance.

Les humeurs pourries.

Les crachats sanguinolents. L'abjection et le dégoût surtout, le dégoût qu'on inspire à autrui.

Et qui fait qu'on ne nous aime plus, quand nous sommes mourants.

Quand j'ai rencontré Ida, un coup d'œil, un seul, et mon enfance est tombée à mes pieds comme une vieille peau. Il y a eu elle, plus qu'elle au monde. Je le savais bien qu'elle était vieille, je veux dire trop vieille pour moi. Enfin, je m'en doutais — ce qui fait que j'ai triché sur mon âge et que je me suis donné cinq ans de plus.

De toute façon, elle ne voulait pas de moi. Son regard me tenait à distance — et me déshabillait en même temps. C'est l'inconvénient des femmes qui ont vécu : elles vous « comparent ». Elle me parlait d'un ancien mari. Un type sensas mais pas tant que ça — à mon sens — puisqu'elle en avait divorcé, et d'une ribambelle d'hommes dont jamais elle ne me disait s'ils avaient été ou non ses amants. N'empêche qu'ils étaient célèbres et qu'elle les tutoyait... Allez savoir !

J'en avais la boule. Et celui-ci... Et encore celui-là... Il y a des jours où j'avais envie de la battre, de me battre, et surtout de battre tous ces mecs qui m'avaient précédé sous prétexte qu'ils étaient nés avant moi.

Et puis elle eut le mauvais goût, comme si elle le faisait pour se ficher de moi, de me parler d'un ou deux garçons de mon âge, qu'elle s'était « faits ». Pour s'amuser, laissait-elle entendre.

Plus tard, elle m'avoua que si elle avait eu la
« grossièreté » de me parler aussi crûment de
ses aventures avec des jeunes hommes, c'était
pour me montrer que je n'étais pas une telle
exception dans sa vie, qu'elle était capable
d'être désirée par des types dans mon genre.
(Comme si j'en doutais !) Et aussi dans l'espoir
de me faire fuir...

Elle avait peur. Elle sentait que c'était la
passion et que la passion, ça ne sert qu'à
souffrir. Elle en avait assez de souffrir, semblait-
il. En même temps, elle n'avait pas la force de
me montrer la porte — il faut dire qu'il n'y
avait pas non plus de prétexte : jusque-là, j'avais
été parfait !

Attentif, courtois, intelligent, doux, surtout, si
doux...

Il y a des femmes qu'on conquiert par la
violence, une ou deux gifles, verbales ou pas,
d'insipides attentes dans des bars de luxe ou
près d'un téléphone qui ne sonne jamais, et les
voici matées...

Mais elle, si douloureuse, si vibrante, comme
une écorchée qui n'a pas su se refaire une peau,
qui va, comme ça, toute seule et en diagonale,
à travers la société, la poésie, l'argent, il fallait
de la douceur.

Personne, pas même moi, ne peut évaluer
l'intensité de ma violence intérieure. Je ne suis
pas Américain, je n'ai pas combattu au Vietnam,
mais, pour des raisons qui me concernent —
moi, ma mère, mon père et mon frère aîné —,
je suis aussi fou, par moments, qu'un type qui
aurait vu tous ses copains découpés en lanières
par les Jaunes. Et qui se serait vengé sur ces
derniers, leurs femmes et leurs gosses.

Je hais les gosses.

Peut-être parce que je voudrais être l'enfant unique de toutes les femmes qui me plaisent.

Ida n'a pas eu d'enfant.

Charme supplémentaire.

Tout ça pour dire que l'envers de la violence, c'est la douceur et qu'elle m'est difficile. Il y a de grands acteurs américains qui savent la mimer, juste avant la scène du crime. Parler d'une voix rentrée, avec des gestes de fille, en mettant rien que le bout de leurs cheveux — les miens sont châtain pâle et bouclés naturellement — dans le cou d'une femme...

Je savais faire — un cinéphile comme moi — et ça m'avait pas mal réussi avec des petites niaises dont j'ai oublié jusqu'au prénom. Elles m'avaient servi, en quelque sorte, à m'exercer.

Je me suis allongé à plat ventre sur son lit. Comme si soudain j'avais sommeil. Elle a un peu tourniqué dans son appartement, ne sachant trop quoi faire. Bougeant un livre, déplaçant un bibelot. (Elle adore les bibelots, surtout ceux qui sont en verre de toutes les couleurs). Puis, de guerre lasse — comme dans un roman de Sagan — elle est venue s'asseoir auprès de moi.

Puisque je ne bougeais toujours pas.

Mais je dois reconnaître que ça n'est pas elle qui a avancé la main vers moi, c'est bien moi qui ai pris la sienne. Puis j'ai murmuré quelque chose, la tête dans le dessus de lit de coton blanc à volants, un vrai lit de jeune fille. Comme je n'avais pas ôté ma bouche du linge, que je mouillais un peu, elle s'est penchée vers moi pour tenter de me comprendre.

— Que dites-vous, Charles ?

— Je dis qu'on est bien... C'est un joli moment...

J'ai utilisé exprès le mot « joli » pour ne pas lui faire peur.

En fait, c'était un moment qui me faisait mal aux tripes. Un trou immense s'ouvrait en moi, par lequel s'engouffraient tous les êtres sacrifiés du monde. Mon père, ma mère, morts dans des camps de concentration. Jamais je n'irai en Allemagne, ou alors pour les tuer tous. Ce que j'aurais voulu, moi, c'est être Américain et avoir le droit de passer des villages entiers au napalm. Avant de tirer des cendres un tout petit enfant viet dont j'aurais fait mon fils. Que j'aurais aimé comme mon fils.

Qui aurait été moi.

Moi, recommencé.

— Oui, m'a-t-elle dit, c'est beau l'intimité... Quand on accepte de redevenir enfant et de ne plus avoir peur de celui qui est là...

Et comme elle n'avait plus peur, elle m'a laissé mettre la main sur elle.

Ce jour-là, elle a saigné. Elle en a ri.

— C'est qu'il y avait longtemps..., m'a-t-elle seulement dit comme pour s'excuser.

J'ai répondu : « J'aime les femmes étroites ».

En fait, je me sentais devenir fou. Comme si j'avais couché avec ma mère. Cette femme incendiée. Dont je ne connais pas le visage. J'avais envie de mourir. Nous étions aux portes des chambres à gaz. Et nous allions y entrer la main dans la main, Maman et moi, Ida et moi...

Je découvrais que j'avais attendu cette minute depuis que j'étais né — ou presque. Depuis que j'avais pris conscience que la société m'avait causé un tort irréparable en assassinant mon

père, ma mère et mon petit frère, moins d'un
an après ma naissance.

Je me suis relevé, rhabillé, je l'ai regardée.

— Je ne peux plus vivre sans vous.

Plus tard, ils allaient dire : « Ça, pour lui mettre le grappin dessus, elle a su faire ! Depuis le temps qu'elle vivait seule, aussi, c'était l'occase et elle ne l'a pas laissée passer... Ce type jeune, dynamique, pas mal de sa personne... Elle n'en a fait qu'une bouchée, l'ogresse ! »

Toutes les faussetés qu'invente l'hydre à mille têtes qui veut se cacher à elle-même ce qu'elle vit vraiment, ce qu'elle sent vraiment, ce qu'elle souffre !

Car tout le monde sait tout, dans son for intérieur, mais ne veut pas se l'avouer de peur de déranger ses petites habitudes, mentales et autres.

Ma femme. Mon amour.

Quand j'ai senti grimper la rumeur, j'ai décidé de l'appeler « ma femme ». Par mépris pour les autres. Et je lui ai démontré longuement, patiemment qu'il fallait que nous vivions ensemble.

Pas chez elle, chez moi. J'étais l'homme, n'est-ce pas ?

— Bien sûr que tu es l'homme, m'a dit Ida en me passant dans les cheveux une main aussi légère que son sourire.

Je crois que si elle a accepté, ma châtaigne aux reflets dorés, c'est — j'ai un peu honte de le dire — comme on se sacrifie. Elle m'a fait don de sa personne... Il faut dire que je lui avais raconté mon histoire (moi qui la cache, la plupart du temps), c'est-à-dire l'histoire de ma famille pyrolisée, et que j'avais vu se fermer son visage. Noircir ses yeux.

— Je sais, m'a-t-elle dit.

— Vous savez quoi ?

— Tout ce qu'il y a à savoir sur l'holocauste... C'est impardonnable. Et impardonné. L'Europe ne s'en tirera pas comme ça. Nous expierons longtemps.

Et elle s'était mise à expier, pour son propre compte, en me disant oui. J'ose le dire désormais, parce qu'au début ça m'aurait vexé : Ida m'a aimé pour mes malheurs.

C'est après qu'elle m'a aimé pour moi-même.

Mais, pour qu'elle m'aime, il fallait que je la pénètre. Je le dis d'une façon pure. Cette femme, je l'ai dévorée, je m'en suis nourri. Et elle s'est laissée faire.

Une sorte de Cène que nous avons vécue tous les jours, toutes les nuits, sans témoin. Cela m'est devenu tellement consubstantiel que je n'ai, d'une certaine façon, pas de souvenirs.

Ces quelques années ne sont qu'un seul jour.

Son sourire du matin et son sourire du soir sont les mêmes.

Jamais elle n'a élevé la voix contre moi, sauf lorsqu'elle avait peur. Quand je prenais des risques physiques, en sport, en voiture — et je me rends compte, avec le recul, que j'ai dû être particulièrement odieux, sur ce plan-là. J'aimais la voir trembler pour moi.

Puisque ma mère n'avait pas eu le temps de s'angoisser à mon sujet et que c'était moi qui avais tremblé pour elle, je m'en suis vengé sur Ida.

C'est drôle qu'une femme aussi intelligente n'ait pas compris qu'elle payait pour ma mère détruite. Abominée d'être à jamais inaccessible. Ida aurait dû refuser de vivre avec moi. Elle aurait dû continuer à voir d'autres hommes... Se garder un jardin secret !

Mais si elle l'avait fait, je l'aurais peut-être tuée. Je l'en ai menacée, certains jours où je ne comprenais pas pourquoi elle voyait encore d'autres hommes que moi. Pour son travail, disait-elle.

Cela me rendait tellement fou furieux qu'elle a finalement renoncé à son travail. Elle était décoratrice de théâtre. Elle m'a dit en riant, l'air désinvolte comme lorsqu'elle dissimulait une émotion : « Le théâtre peut bien se passer de moi, toi pas ! »

J'ai trouvé ça normal, comme tout ce qui consistait à faire d'elle ma compagne de tous les instants. L'amour c'est comme ça, sinon ça n'est pas l'amour. N'est-ce pas ?

De temps à autre, sa voix baissait de deux tons, et elle me soufflait de loin, en détournant exprès les yeux et en faisant semblant de s'activer à la cuisine ou dans le bureau :

— Tu sais, je suis amoureuse...

— Moi aussi, répondais-je sur le même ton apparemment détaché.

Et il se passait quelque chose : une brume bleue venait se déposer sur les murs, les meubles, envahissait tout...

Je ne sais pas où j'irai après ma mort et je m'en fous parce que j'ai déjà connu le paradis. De mon vivant.

Du coup, je n'ai plus rien à espérer.

Ni à craindre.

Et elle, que fait-elle en ce moment où je dénoue mon vêtement de nuit, cette écharpe qui commence à m'étouffer ?

Lorsque la pub a entrepris de dérouler vers moi — comme un tapis rouge — l'un de ses tentacules, je vivais encore avec Ida.

Vivre avec une femme amoureuse est intolérable. Surtout lorsqu'elle est plus âgée que vous et qu'elle *veut* que vous vous développiez comme si vous étiez son petit garçon.

Bob avait dû s'en apercevoir. Peut-être parce qu'il est homo. Ou parce qu'il est mon ami. En tout cas, ça s'est passé par son intermédiaire. (C'est toujours comme ça qu'on attrape quelque chose : à travers les autres !)

Bob jouait au *Bill Bocket* avec J.M.P.P. à qui ses airs de dilettante pince-sans-rire avaient su plaire. Les homosexuels ont le chic pour se faire aimer des hommes suroccupés. Lesquels se font envoyer valdinguer par la plupart des femmes, sous prétexte qu'ils n'ont pas assez de temps à leur consacrer.

Bob, lui, avait su percevoir l'extrême tension nerveuse de ce génie de la pub qu'est J.M.P.P. Sans lui poser la moindre question — c'est-à-dire en reprenant les bonnes habitudes que l'on a quand on a douze ans et qu'on fait la connaissance d'un nouveau dans la cour de récré —, il lui avait tout de suite proposé de jouer au gin chez des copains. Ils avaient tellement rigolé ensemble qu'ils avaient fini par se faire expulser de la table par les autres partenaires excédés. De cette indignation d'autrui devant leurs mauvaises blagues était né un jeu à usage intimement débile !

Le *Bill Bocket*.

Cela consistait à improviser le plus grand nombre possible de calembours nuls et minables dans le moins de temps possible.

Le jeu se joue en trois manches, sur un thème choisi par le perdant de la partie précédente, et celui qui comptabilise le plus grand nombre de points est consacré *Bill Bocket* jusqu'à la prochaine fois.

Il faut un arbitre. Certains à-peu-près ne sont qu'à peu près clairs. Et la frontière entre l'admissible et l'inadmissible est diablement subjective. L'arbitre est partial et en profite pour en rajouter dans le mauvais goût et le mauvais usage de la langue...

C'est un dimanche que Bobo, en panne d'arbitre, m'avait convié dans le grand appartement de Neuilly dont les terrasses éventées surplombent le Bois. J'ai dû déployer mes meilleurs talents linguistiques car, peu de temps après, J.M.P.P. me demanda d'entrer dans son entreprise.

— C'est la chance de ta vie, accepte ! m'a dit Ida, faisant semblant d'en avoir assez de me trouver toujours attaché à ses jupes comme par une épingle de nourrice.

Elle m'aimait, je l'ai dit. Et elle pensait à moi. A mon avenir.

Je voudrais avoir dix ans de plus. Être un homme richissime et considérable. Admiré de tous. Ministre des Finances — pourquoi pas ? Je me vois décrochant mon téléphone et appelant ce qui sera probablement une ravissante femme désormais sans âge — teinte en roux, je l'espère — pour lui dire : « Ma chère, cela me ferait plaisir de vous montrer mon bureau, aux Finances. Il a une vue sur les jardins comme vous les aimez... »

Gros problème : est-ce que je lui ferai faire antichambre ou est-ce que je l'attendrai en haut des marches ? Ou en bas ?

D'ici là, je suis payé pour faire valoir à plein-temps mes talents d'« à-peu-préiste » entre les bonnes et les mauvaises idées de campagnes publicitaires en tout genre.

Là aussi, la frontière entre l'admissible et l'inadmissible est fragile : car ce qui fait rire ne fait pas forcément vendre ! Et ce qui déculpabilise non plus...

Prenez un lave-vaisselle. Il ne faut surtout pas dire aux femmes que cela va leur donner du temps libre ! Elles se sentiront paresseuses à leurs propres yeux, tout ce qu'elles détestent... Il faut leur susurrer que, grâce à cet appareil, elles vont avoir plus de temps à consacrer à leur famille, à leur mari surtout ou à leurs grands fils ! Aussitôt elles achètent comme des bêtes et le mari paie !

Ça n'est pas très difficile, quoi qu'en pensent les jeunes loups en panne d'inspiration. Il suffit de s'être retrouvé, à six mois, privé de sa mère et de toute sa famille. Et à deux doigts d'y passer vous aussi...

Cela vous donne un sens suraigu du décryptage des codes d'autrui.

Comment se faire admettre, le temps d'être capable de croquer tout seul, par une paysanne aveyronnaise qui trouve qu'un enfant en bas âge c'est bien, mais deux, attention les dégâts ! J'ai su faire. Adapter mon sourire baveux à ses guili-guili et le rythme de mes cris affamés à sa petite musique rurale intérieure... Elle m'a pouponné, nourri, au point que mon frère de lait en a fait une jaunisse. Ce qui a achevé de dégoûter de lui Maman Louise ! Il y en a qui n'ont pas le chic même pour faire leur propre pub !

J'ai eu bien moins de mal à crocheter la combinaison du cœur, réputé fermé à triple tour, de J.M.P.P. Mon matériel de gentleman-cambrioleur était infiniment mieux monté que du temps de Maman Louise et ce fut pour moi ce qu'on nomme à tort un jeu d'enfant. En fait, ça n'était qu'un jeu d'adulte. Le plus difficile, c'est-à-dire le jeu d'enfant, était derrière moi.

J.M.P.P. m'a vite promu son bras droit afin de m'avoir, si j'ose dire, sans cesse sous la main, et c'est moi qui me suis adjoint Bob.

Bob, à mon sens, est moins performant — il s'en fiche — mais infiniment plus drôle que moi. Parce qu'infiniment plus triste.

Le cœur de la grande rigolade, c'est le sentiment de l'absolue solitude. On dit toujours que les rois du comique sont tristes. Bien sûr !... Ils ont compris plus vite et mieux que les autres que chaque homme est une île. Né orphelin. A vie. Et que c'est là-dessus qu'il faut jouer si l'on veut se faire comprendre : sur le fait qu'on ne se comprend pas.

C'est ça qui rend tout si drôle !

Avec les femmes, c'est moins facile.

Ce qui fait s'esclaffer les hommes ne fait pas forcément rire les femmes.

Surtout quand on parle de la mort. Et de l'amour.

— L'amour, tu sais, c'est toujours fatal, m'avait dit Ida.

On commençait à parler du Sida, mais nous n'étions pas concernés. Bien sûr. Pas encore. Nous étions protégés l'un par l'autre. Totalement l'un à l'autre. Nous n'étions pas ouverts au monde extérieur, aux autres corps. A ce qu'on nomme la promiscuité et qui est aussi l'amour du prochain. Nous n'étions pas reliés.

Nous étions seuls au monde.

Sur notre île d'amour.

Le premier soir où je me suis retrouvé sans Ida dans notre lit devenu *mon* lit — un lit, le lit, quoi —, cordon ombilical sectionné, je n'étais pas fier.

Je respirais à petits coups pour être sûr que ça n'allait pas me faire mal tout au fond, quand j'oserais vraiment absorber la liberté à pleins poumons.

Ça ne m'a jamais fait mal, même plus tard.

Une sorte d'anesthésie générale qui a laissé place, petit à petit, à une souveraine indifférence.

Du moins le jour.

La nuit, c'est autre chose.

Ma main tâte le froid des draps, puis revient se nicher sous mon aisselle ou entre mes jambes. Ma main solitaire.

Bien sûr, il y en a d'autres. Les corps féminins disponibles abondent. Mais nous ne rêvons pas ensemble. Peut-être parce que nous ne sommes pas reliés par les mots.

Nous avons tant parlé, Ida et moi. Des jours, des nuits, des semaines, des années... Quel formidable boulot de mise en paroles, de mise en mots nous avons fait !

Mais à qui je dis ça, désormais ?

Peut-être à moi. Tu parles, Charles !

Avec Ida, je n'avais plus de secrets. Tout avait fini par y passer, tout ce qu'il me restait comme souvenirs de la guerre. Mes parents nourriciers. Les petits « bouts » de mes vrais parents qu'ils avaient réunis dans un sac en papier — le plastique n'existait pas à l'époque — et qu'ils m'ont donnés comme présent le jour de mes onze ans. Que je suis allé brûler aussitôt, de rage, de fureur, de désespoir aussi, car il n'y avait pas de photos.

Seulement une paire de vieux gants de cuir, un bouquet de violettes artificielles, comme on en portait à l'époque sur un col d'astrakhan gris, des pendants d'oreilles en faux brillants, une lettre de mon père à un copain (il n'avait pas dû avoir le temps de l'envoyer) pour lui dire que, puisqu'il était Français, il n'avait rien à craindre et pas besoin de s'exiler en Amérique, le gouvernement français le défendrait. L'imbécile. La vue de cette petite écriture d'universitaire qui croit si fort que les idées vont le protéger contre la barbarie, m'a mis, moi, l'enfant élevé parmi les poules et les cochons, dans une telle rage que j'ai tout foutu dans le four qui servait à faire cuire les rutabagas pour les bêtes. (Pour nous aussi, d'ailleurs.)

Que vaut la pensée d'un philosophe face à la barbarie ? Que vaut la pensée d'un philosophe devant un enfant qui meurt du Sida ? Surtout quand le philosophe en meurt aussi...

Ida souriait quand je lui parlais de ma détresse d'enfant :

« Tous les enfants sont en exil dans la société des adultes, me disait-elle. Mais tu sais, Charles, toutes les femmes aussi dans la société des hommes... Ça n'est pas grave, l'exil. C'est le lieu du rêve. Moi, tu vois, j'ai l'air de m'activer, en fait je rêve... Je rêve toute la journée... et je t'aime ! »

Quand je lui demandais de l'argent — pour voir —, elle m'en donnait. Mais aussi tout le reste. Je me souviens de cette sale maladie que j'avais eue, une sorte de virus qui m'avait mis sur le flanc. Vous croyez qu'elle a cessé de coucher avec moi ? Ou de m'embrasser sur la bouche ?... Sainte Ida.

Jusqu'où irait-elle ?

Jusqu'où allais-je ? Je veux dire dans le déballage... Une fois mes petits secrets d'enfance étalés, comme les dérisoires « affaires » de mes parents calcinés, à quoi s'ajoutait un sac de billes que mon grand frère n'avait pas eu le temps de prendre avec lui pour aller jouer à Auschwitz, j'en suis arrivé à ce qu'il y a de plus intime en moi.

Ce sur quoi se fonde ma virilité.

Je ne sais pas ce que c'est. Je ne veux pas le savoir. Je n'ai pas voulu le savoir. Et c'est pour ça qu'une fois arrivé là, il y a eu le déclic, comme pour le fœtus qui a décidé de sortir et qui lance le message hormonal qui va déclencher l'accouchement. Et les cris de sa mère ! La souffrance de sa mère.

Moi, j'ai inventé n'importe quoi et j'ai dit à Ida : « C'est fini ! »

Elle ne m'a pas demandé quoi. Sans doute s'y attendait-elle, puisqu'elle est partie à l'instant. En me laissant l'écharpe. « Notre » écharpe, l'écharpe à carreaux, abandonnée sur sa chaise. Comme mes parents m'ont abandonné pour aller mourir sans moi.

« Nous sommes tous abandonnés, m'avait dit Ida quand j'avais voulu m'en plaindre et me faire plaindre. Toi, au moins, tu as le privilège et l'avantage de le savoir... Cela va te rendre plus fort, tu vas voir ! »

Contre elle, oui !

Soudain l'idée m'a envahi totalement, comme si elle ne venait pas de moi.

Je me suis dit que nous étions en train d'expier. Nous, l'Europe tout entière. Occident, occida... Quoi ? La liberté sexuelle, la putréfaction des mœurs, comme le prétendent les censeurs ?

Non.

Les camps de concentration.

Nous sommes tous coupables. Je veux dire : tous les Européens en âge de s'y opposer et qui ne l'ont pas fait. Tous les Européens — ils sont bien plus nombreux qu'on ne croit — qui ont su, participé, savouré, dégusté. Joui.

Sans compter ceux qui ont joui par procuration, plus tard, en lisant, en s'imaginant, s'indignant, répétant : « Plus jamais ça ! » (Évidemment, puisque c'était fait ! Y a plus qu'à passer à autre chose...)

Puis mettant en branle la plus grande société de consommation qu'on ait jamais connue.

L'Europe a touché le fond avec les camps. Et si elle ne s'en est pas remise, c'est qu'elle n'a pas avoué, pas expié. Il suffit d'entendre les petites discussions intello-infâmes sur le fait de savoir *si* les Juifs auraient dû ou non se révolter.

Si les camps étaient sur territoire allemand, ou seulement — *seulement ! ! !*, osent-ils dire — en territoires occupés.

Si six millions n'était pas un chiffre un peu grossi...

Si, si, si...

Sida oui, Sida non.

Les enfants du Sida sont tout aussi innocents que les enfants juifs, tout aussi menacés, tout aussi douloureux et tout autant choisis par le hasard.

L'ignoble, l'innommable hasard.

Ce hasard qui m'a sauvé, moi.

Tout seul.

C'est sans doute pour ça que j'ai rejeté Ida.

Rien à voir avec son âge, ou la lassitude. Ou sa stérilité.

Je n'ai pas pu supporter qu'elle s'approche si près, par amour, du foyer de ma haine.

Ce point incandescent. De non-pardon.

Les camps, c'est impardonnable. Le Vietnam aussi. Soixante mille vétérans du Vietnam se sont suicidés. Ils ne se sont pas pardonnés. Ils n'ont pas non plus été pardonnés par leur pays.

Le Sida, lui, ne pardonne pas.

Je n'ai même pas de photos. Les paysans de l'Aveyron n'avaient rien gardé, que mon nom. On a bien voulu me le rendre après la guerre, sur leur seule parole. (Un petit peu estropié, Caule au lieu de Khol, il faut bien lâcher du lest). Ils avaient sauvé un enfant juif. Très bien. On leur a dit bravo. Et l'Assistance publique a pris le relais.

Le temps qu'il fallait pour qu'un vague cousin réfugié et enrichi en Amérique vienne s'intéresser à l'unique rejeton de ce qui avait été sa famille européenne. Et me tire de là pour me faire faire le parcours des universités. Suisses. Anglaises. Américaines. J'ai tout fait. Tout obtenu.

Et je suis devenu fou.

Je demeurais indéfiniment sur mon divan à contempler mes orteils qui s'agitaient dans mes chaussettes trouées. Quand j'ai rencontré Ida.

L'amour fou.

L'amour d'un fou.

C'était tout ce que j'avais à lui offrir, à ce moment-là, de mon existence pétrifiée, et je le lui ai entièrement donné, je dois dire. En retour, elle m'a rendu viable.

« Merci Madame », ai-je dit en me détachant violemment, quelque temps plus tard, sans vouloir tenir compte que nous n'avions plus qu'un cœur, qu'un système sanguin, artères, coronaires et veines caves, et qu'en m'en allant comme ça, sans précaution, je lui arrachais le tout.

Je lui ai arraché le cœur. Je ne sais pas comment elle a fait pour continuer à vivre. Je me suis laissé dire qu'elle a voulu mourir, puis, n'y parvenant pas, qu'elle a continué à exister comme une somnambule. En « hallucinant » ma présence auprès d'elle. Devenue folle, quoi, à son tour ! C'est ça, un couple. On se passe la maladie de l'un à l'autre. Si j'avais eu le Sida, je le lui aurais refilé... Ou l'inverse.

Je n'étais que fou, elle est devenue folle.

Je ne sais pas pourquoi elle a guéri, par amour probablement.

Mais pour qui ?

Il n'y a pas de qui.

Par amour.

Par la suite, je suis souvent retourné à la Salpê. Pour Bob. Non, pour les autres. Non, pour moi.

J'ai même fini par très bien connaître le chef de service, le professeur Fahrbaul. Il savait que j'appartenais à une agence de pub et ça l'intéressait de discuter avec moi sur la « rumeur », les « rumeurs », « l'intox » et la « réalité ».

Fahrbaul, un type jeune, épatant, convaincu, désespéré, à peine plus âgé que moi et qui n'avait pas l'air d'avoir jamais su qu'il existe quelque chose qui s'appelle « vacances ».

Les gens meurent aussi le dimanche.

Beau titre pour une série noire ! Cela nous fit rire ensemble !

On s'amusait, dans le couloir, à qui serait le plus linguistiquement inventif. Ou dégueulasse. J'avais mon entraînement de publicitaire. Lui, celui de son internat.

De temps à autre, on tentait tout de même de parler sérieusement. Jeter des jalons. Où en étaient les traitements ? Les vaccins ? La prévention ?

— Bien sûr, il faudrait que tout le monde utilise des préservatifs, disait Fahrbaul, son calot blanc posé en arrière sur sa tête, ce qui le faisait ressembler, tout de lin et de blancheur revêtu, au jeune Astyanax. Ou à un boucher cosmonaute. « Mais voyez la petite Aïda. Comment pouvait-elle s'imaginer que son mari se laisserait aller, un soir, à faire une caresse à une ancienne copine à lui, qui avait couché avec un pauvre petit homo, lequel en est maintenant au dernier stade dans la chambre à côté ? Vous voulez le voir ?

— Non... Oui...

Je ne dirai plus jamais *non* quand on me demandera de voir un mourant. Je ne tiens plus à me préserver. Si tu savais, Ida, comme j'ai grandi depuis que je t'ai quittée !

Je dialogue même avec la mort.

Le petit homo m'a souri. Il était content et fier de voir qu'un grand patron de la pub entrait dans sa chambre rien que pour lui serrer la pince.

Ça valait presque la peine d'avoir attrapé le Sida, à ses yeux.

Puis il m'a dit, en baissant le pouce : « Je crois que je suis foutu ! »

J'ai eu une envie de le secouer : « Mais non, mon vieux, qu'est-ce que c'est que ces conneries ! Vous allez vous en sortir... »

Et puis je me suis dit qu'il me faisait un cadeau en acceptant de me parler de sa mort, et que, ce cadeau, je devais le prendre précieusement, et partir avec, comme si c'était un trésor.

— Qu'est-ce qui vous fait dire ça ?

— Mes analyses ne cessent plus de chuter. C'est fini. Et puis je vois bien la tête que fait Adèle...

Adèle est entrée. Le visage grave.

— N'est-ce pas, Adèle, que je vais mourir ?

— Pourquoi pas, Lucien, lui a-t-elle dit, quel mal y a-t-il à ça ?

Ils se sont souri comme deux complices.

C'était très beau.

Le lendemain, Lucien est mort. Et moi, j'emmenai Adèle déjeuner. C'était son jour de sortie.

Ida n'était ni rousse, ni blonde, ni brune. Elle était châtain. « Bêtement châtain », disait-elle en souriant de son interminable sourire de Joconde. Ou des toutes petites filles en train de faire leur premier charme et qui ne savent pas encore que ça se « distille », le charme. Au lieu de se déverser à l'hectolitre en soulevant son petit jupon pour montrer sa petite culotte, avec sa joue à fossettes bien posée sur sa petite épaule coquinement remontée...

Il y avait une enfance sans âge, chez Ida, comme celle qu'on trouve chez les très vieilles religieuses, depuis si longtemps habitées par la joie que ça finit par les rendre sexy sans qu'elles s'en doutent, les pauvres chéries !

J'aime les femmes gaies. Ida était plutôt mélancolique et pourtant rayonnante, et elle m'a ébloui. Je n'ai plus pensé qu'à la convaincre que je pouvais faire l'affaire et je me suis donné des airs importants. Je me suis toujours conduit comme si de nous deux, c'était moi l'aîné !

Je la revois, en promenade, gambadant devant moi tandis que j'avançais d'un pas égal, une canne à la main. Ou alors, elle caquetait sans arrêt, car elle se sentait en confiance — cela lui était si rarement arrivé, la pauvre — et je la morigénais : les femmes passent leur temps à interrompre les hommes, et, après, les hommes ne savent plus où ils en sont ! Ne pouvait-elle se taire un peu et me laisser aller au bout de mes phrases ?

Maintenant, personne ne s'intéresse plus à mes phrases, ni à leur début, ni à leur fin, ni à les pimenter de remarques féminines...

Bien sûr, Ida n'avait plus une chair de jeune fille.

Je crois que cela la gênait. Moi, ce qui me gênait, c'était de la sentir gênée. Elle devait penser, comme toutes les autres, que le comble de la séduction aux yeux des mâles, c'est d'avoir vingt ans !

J'aurais dû le lui dire, que l'érotisme n'a rien à voir avec la jeunesse. C'est une lame de fond. Fellini l'a compris qui nous exhibe d'obèses géantes, d'obscènes cataractes de chair femelle, en train de fasciner le petit garçon qui subsiste en lui comme en chacun de nous.

Si on s'adresse de préférence aux jeunes femmes — et de plus en plus à mesure qu'on vieillit — c'est que, tout compte fait, elles font moins d'histoires !

Les femmes en pleine possession de leur féminité, comme on dit, sont terrifiantes. Ida était fine d'ossature, et ses seins, parfois, me semblaient un peu menus. Aucun ensevelissement charnel ne me menaçait quand je couchais avec elle. Pourtant je hurlais comme si elle était sur le point de me dévorer.

Quand je revenais à moi, calmé, elle avait les yeux au plafond. Restée beaucoup plus maîtresse d'elle-même, elle caressait doucement mon épaule nue comme s'il s'était agi d'une épaule de femme. Ou alors elle respirait à petits coups mes cheveux, mes aisselles, mon ventre, pour bien s'imprégner de mon odeur.

Elle ne se gênait pas non plus pour m'observer quand je me levais pour aller dans la salle
de bains. Je me sentais vu, détaillé, apprécié.

Absorbé.

Jamais une jeune femme ne se permet ce
genre de regards. Ou de caresses. D'abord parce
que les jeunes femmes s'en foutent. Elles ne
sont déjà plus avec vous, mais en train de
raconter à leur meilleure copine, ou à leur
copain le plus régulier, comment elles se sont
bien envoyées en l'air avec un « vieux » qui a
pris un de ses pieds, je ne te dis que ça, la
vache !

Les jeunes femmes sont narcissiquement
refermées sur elles-mêmes, et vous foutent une
paix royale. Elles ne savent même pas la couleur
de vos caleçons. Pas même si vous en portez.
J'adore les jeunes femmes.

J'ai dit un jour à Ida, après l'avoir baisée
debout, contre le mur du couloir, puis renversée
sur le sol, puis portée sur le lit où je l'avais
jetée comme un paquet avant de la prendre à
nouveau : « Je ne peux plus me passer de toi ! »

Et c'était une insulte.

Depuis le premier coït, l'amour et la mort ont toujours eu d'étranges connivences.

On n'en serait pas là, sinon, si nos ancêtres s'étaient laissés décourager par la fragilité de l'espèce.

Fragile et dure, dure et violente ! Comme ces mains fines et courtes qui émiettent sur la table ce pain de luxe à goût de brioche. « Nous le faisons nous-mêmes », est venu susurrer le chef de cuisine en blouse blanche, tête nue. Comme à l'hôpital, pour la blouse.

Et aussi pour les mains d'Adèle... Elles me fascinent depuis que je les ai vues manier de la chair humaine en souffrance. Du mâle en décomposition.

Elles ont pourtant l'air si innocentes, ces petites menottes. Roses, très propres, les ongles courts, comme si c'était une forme d'élégance d'avoir des mains aussi nues, avec juste cette petite bague de jade et d'or, alors qu'il s'agit d'une asepsie. Une nécessité professionnelle.

Adèle est l'ange de la mort.

Elle n'a pris qu'un tout petit peu de poisson, à vrai dire des coquilles Saint-Jacques, cette chair qui rappelle à peine un être vivant. Un rien de confit de légumes. Et un plein baquet de mousse au chocolat.

Heureusement, elle a accepté de prendre du café. J'ai toujours peur que mon convive refuse le café. Pour moi, c'est le meilleur moment du déjeuner... Le chef et sa blouse blanche sont revenus nous demander si nous étions contents, si tout se passait bien, et j'ai failli lui dire : « Retourne à tes perfusions, mon garçon... » Et puis je me suis calmé. *Cool*, Caule... Moi aussi, il m'arrive de jouer au « chef », comme lui. Ou à l'enfant. Ou au cochon de client... au malade... au bourreau... à l'amoureux... à...

« Tu es mon amour », me disait Ida. Comme si c'était une identité suffisante, à faire graver sur mes cartes Cassegrain :

CHARLES CAULE
amour d'Ida

— Êtes-vous amoureuse, Adèle ?

Elle lève vers moi des yeux bleu pervenche, un peu striés de jaune, comme ceux de certains chats.

— Amoureuse de qui ?

— De la vie...

Son regard devient intérieur.

— Sans doute. Sinon...

— Sinon quoi ?

— Je ne sais pas comment je ferais, tous les matins...

Je l'imagine dans le métro, sur le petit coup de cinq heures.

Douce France !

— Ce qui m'a le plus étonné, c'est que votre service n'est pas du tout sinistre, ni même silencieux. On entend beaucoup de bruit, des éclats de voix, des rires dans les couloirs ! Et même dans les chambres...

— Ils sont si jeunes, ceux qui sont là. Alors vous comprenez...

Je comprends. Ils n'ont pas eu le temps, pour la plupart, de vivre ce que nous appelons une vie « normale », ni de s'octroyer du coup des droits sur elle. Un jour, ils se sont réveillés — comme cela nous est arrivé à nous, dix fois, vingt fois dans notre existence — avec un peu mal à la gorge, des ganglions, un mouvement de fièvre... Nous aussi nous avons été surpris, la première fois ! Et puis quelqu'un nous a dit : « Ne t'en fais pas, c'est la grippe, ça va passer ! »

A eux aussi, on a dit : « Ça va passer, c'est la grippe... » Et ils se sont rassurés. Puis ça n'a pas passé. On a fini par leur faire une analyse de sang. On a conclu : « Ça n'est pas la grippe. »

Ensuite, on a avancé des mots bizarres. Des mots qu'on n'arrive pas à prononcer sans reprendre son souffle, comme séropositivité, sarcome de Kaposi, azidothymidine, LAV, HTLV, SIV, HIV, HTLV4...

Et comme ils sont jeunes et que tout ce qui est technique les ennuie, qu'ils préfèrent le rock, le grand continent de la musique berceuse, berçante, qui les relie les uns aux autres comme un sang qui bat, un sang non contaminé, ils se sont contentés de penser : « Eh bien, si ça n'est pas la grippe, alors c'est que c'est ça, la vie ! »

Et ils sont là, dans le service, en train de mourir de ce qu'ils appellent « la vie ». Et comme la vie est une fête, à ce que chacun sait, ils rigolent... Quand ça ne fait pas mal !

— Ils souffrent ?

— Pas tout le temps... pas tous... Ils sont courageux, vous savez. Ils n'ont pas peur. Ce sont eux qui me rassurent.

Soudain, elle a envie de parler. Se rapproche

de moi. Regarde si on peut lui apporter encore du café. Je clique des doigts ; heureusement, l'un des types en veste blanche a l'œil sur nous.

— Tous me regardent avec attendrissement... Comme si j'étais la petite nouvelle qui ne savait pas... Et ils prennent soin de moi ! Eux ! Vous vous rendez compte !

— Des garçons ?

— La plupart sont des hommes, mais il y a des femmes aussi. Ils me tutoient presque tout de suite. « Attention, tu n'as pas ton masque, touche pas à ça les mains nues... » Ils me disent comment je dois les manier, les soigner, pour ne pas prendre de risques. Eux qu'on a contaminés...

Un silence. Elle regarde son café sans le boire. Elle me fixe sans me voir.

— Par l'amour.

— Quoi ?

— La contamination. La mort était dans l'amour.

— La mort est toujours dans l'amour, dis-je en pensant soudain à Ida.

Comme je n'avais jamais pensé à elle depuis... eh bien, depuis que je la connais !

Comme si, pour la première fois depuis notre rencontre, notre passion, la rupture, je pouvais enfin avoir un tout petit peu pitié d'elle. Et de moi. Dans un immense élan de tendresse pour celle à qui j'apportai la mort quand elle cherchait à m'apporter la vie.

Jusque-là, j'avais eu pour elle les sentiments de l'enfant qui a tué sa mère en naissant : « C'était toi ou moi, salope ! » Maintenant — peut-être parce que j'étais en train d'accepter l'idée de ma propre mort des mains d'Adèle, cette toute jeune femme — je pouvais penser à Ida avec une infinie tendresse.

Je mis ma main sur celle d'Adèle. Je regardai ces deux chairs. Saines. Peut-être un peu méfiantes. Allons-nous nous méfier, désormais, de toute chair qui s'approchera de la nôtre ?

Peut-être est-il temps.

Elle aussi regardait nos deux mains.

J'avais envie d'elle, mais pas de la caresser. J'avais envie de m'engloutir. J'avais envie de mourir pour être bien sûr que j'étais vivant.

— On s'en va.

— Oui, dit-elle.

Au vestiaire, on lui tendit son imper. Et son écharpe. L'écharpe à carreaux.

Ensuite, tout s'est fait très vite. Comme dans les glissements de terrain. Jean-Marie allait la chercher à la sortie de son service et la ramenait à l'appartement où je tâchais de me trouver avant elle. Je n'y parvenais pas toujours, mes horaires sont moins précis que les siens. Cela ne l'ennuyait pas de m'attendre, prétendait-elle. Elle prenait un bain, longuement, dans cette salle de bains de marbre blanc, à peine veiné de gris.

C'est toujours par la pierre que l'humanité transcrit le meilleur, le plus léger, le plus spirituel d'elle-même. Cette salle de bains traduisait un idéal de jeunesse, de beauté et de propreté éternelles. Adèle y passait volontiers des heures et je l'y retrouvais parfois quand j'arrivais, harassé. Je l'étais moins dès que je l'avais aperçue.

Je la rejoignais dans la baignoire sans rien dire. Elle sculptait mon corps de ses mains. Je crois que c'est pour ça que je l'aimais. A cause de ses mains qui, toute la journée, avaient enlevé la souffrance du corps de ces jeunes condamnés à la non-vie, et qui, maintenant, rien qu'en touchant le mien, me racontaient. Me faisaient participer.

Les mots sont des instruments trop grossiers pour certains sentiments. Sans doute faudra-t-il encore quelques millions d'années pour les affiner autant que les mains qui parlent depuis plus longtemps, comme le corps des bêtes, les pattes, les antennes.

Cette jeune femme sourde et muette, l'autre jour, sur ce podium du cinéma, parlant avec ses seules mains ! A côté, les glapissements modulés des autres semblaient sortir tout droit d'un clapier. Comme nous y sommes habitués, nous ne nous rendons pas compte — sauf peut-être dans les écuries ou les cours de casernes —, mais le langage humain est incroyablement vulgaire. Et féroce. *Raus, schnell, feuer...* c'est tout ce qu'on se dit, au fond. Tout ce qu'on sait dire. Avec de légères variantes.

Adèle a posé ses deux mains sur son ventre plat. Au centre, le nombril comme un petit œil malin.

— Je crois que je suis enceinte.

Quand je dis que le langage procède par rafales !

Jambes fauchées. Cœur qui cogne.

— Tu es sûre ?

Une phrase idiote pour gagner du temps, à quoi elle me répond par une autre du même acabit.

— Si je t'en parle...

Étonnerai-je si je disais que j'ai ressenti un bref éclair de haine ? Contre cette chose qui se passait en dehors de moi. Ce fait accompli qu'il ne me restait qu'à entériner, avec, en plus, le sourire... Car je n'y étais pour rien, en quelque sorte, et pourtant je me trouvais dans l'obligation de faire comme si j'y étais pour tout !

La chair est traître.

— Bravo, Madame, lui dis-je.

— Mademoiselle.

— Non, Madame. Désormais.

C'était une promesse, elle ne s'y méprit pas. A l'intérieur de moi, l'enfant en moi hurlait : « Ida, sauve-moi sauve-moi sauve-moi ! »

Mais ma voix se perdait dans des salles de plus en plus vides.

Est-ce ainsi chaque fois qu'un homme « apprend », généralement de la bouche d'une femme, qu'il va être père ?

La femme, elle, est informée de sa maternité par son propre corps, ses seins, sa fatigue, son alanguissement, l'absence du sang... Et la parole du médecin, ou du laboratoire, ou la coloration des tests ne viennent que confirmer ce qu'elle sait déjà. Tout au fond d'elle-même.

Mais l'homme, cet innocent, ne sait rien. Il faut qu'on lui dise : « Qui c'est-y qui va être papa ? »

Je vais être papa. Je n'arrive pas encore à avoir de connivence avec lui. Ou elle. Sauf négative. J'espère qu'il n'est pas mongolien, qu'il n'a pas le Sida — « aucune chance, me dit Adèle, je me suis fait faire des analyses » —, qu'il ne sera pas bête, sourd, aveugle, surdoué, laid...

Et si c'était une « elle » et qu'elle était rousse ?

Est-ce qu'Ida m'aurait donné une fille rousse ? Quand on aime trop une femme, peut-on aimer les enfants que vous donne cette femme ?

Je n'aimais pas trop Adèle.

Cela laissait une chance à ma fibre paternelle de s'éveiller.

Nous nous sommes mariés dans une très grande mairie impersonnelle, après avoir vu passer un mariage devant nous, tandis qu'un autre faisait la queue pour convoler après nous.

C'était un samedi, le week-end s'annonçait et

les officiers de mairie étaient pressés. Je son-
geais à la toute petite mairie de campagne où il
n'y aurait eu place que pour Ida et moi. Elle
devait être tout à fait vide, et probablement non
chauffée, en ce jour de fin d'hiver...

Bob était mon témoin et Adèle avait demandé
au docteur Fahȓbaul d'être le sien, ce qu'il avait
accepté d'enthousiasme, à cause de moi, je
présume.

Je m'habituais petit à petit à devenir un
homme considéré et à susciter immédiatement
la sympathie pour mon image plus que pour ma
personne, comme autrefois.

Cela laissait ma personne — c'est-à-dire moi
— bien à l'abri.

Mon image, c'est-à-dire Charles Caule — cela
s'était écrit Kohl, mais la brave femme, ma
nourrice à qui je devais mon salut, n'aimait pas
les K, et les officiers d'état civil de l'Aveyron
non plus — a dit « oui » à ma place, d'un air
tout à fait convaincu.

Mais moi...

Je fais partie de l'immense troupeau des
hommes qui disent « oui » à un prêtre, à un
officier de mairie, à une femme en pensant à
une autre femme.

Comme à leur bouée de sauvetage.

Ils trahissent, semble-t-il, celle qu'ils n'épousent pas. Mais en réalité, la trahie, c'est celle
qu'ils épousent. Surtout si elle est enceinte.

Dans mon for intérieur — nous sommes tous
ainsi, les mâles —, je me disais : je t'ai fait un
gosse, ça devrait suffire, non ? Je t'ai donné le
meilleur de moi, mon sperme. Tu ne vas pas en
plus me demander mon cœur, mon âme ?...
Encore, mon cœur, je veux bien t'en donner

une tranche en sandwich dans mon portefeuille... Mais mon rêve, ça, non, mon rêve est
à moi !

Sera toujours à moi.

N'est-ce pas, Ida ?

J'avais le sentiment de la voir rire à travers
ses larmes. Car elle devait être au courant de
cette cérémonie, et je suis convaincu qu'elle
avait dû préférer demeurer seule, chez elle, à y
penser. Elle avait enfilé l'un de mes vieux
chandails... Celui qu'elle n'a jamais fait laver et
qui sent encore un tout petit peu l'odeur de ma
sueur.

La main de Bob sur mon épaule m'a fait
tressaillir, comme s'il m'arrêtait.

Nous étions à la terrasse d'un petit café de la rue des Deux-Ponts qui nous a entendus plus souvent qu'un autre nous livrer à cet interminable jeu de charades que nous appelions travailler, Bob et moi.

Au grand dam des autres publicitaires qui s'enferment des vingt-quatre heures entières avec des poches à glace sur la tête et du thé noir dans un thermos, sous prétexte de dénicher dans un recoin de leur encéphale le Sésame ouvre-toi des porte-monnaie rétifs.

La « clé » de la consommation !

Bob m'attendait déjà quand je suis arrivé, et je l'ai trouvé encore plus pâle, avec une ressemblance de plus en plus frappante avec E.T.

Surtout quand il a levé un index décharné pour le poser sur mon front.

— Alors, mon grand ! Ça surchauffe là-dedans ? Tu la gagnes, ta campagne anti-baise, Monsieur le ministre du Sida ?

Car la plaisanterie avait continué, entre nous, et même fait des petits : à chaque nouvelle entrevue, *in* and *out* l'hôpital, je rajoutais un nouveau chapitre à mon feuilleton, histoire de voir Bob se tordre de rire derrière l'écharpe à carreaux. Qu'il s'était, bien entendu, empressé de s'acheter afin de proclamer haut et fort — à mon intention — une abstinence sur laquelle il avait été si discret quand il pouvait encore. Quoi ? Je ne le saurai jamais, ni où il l'avait attrapé, son rétrovirus. Peut-être en buvant dans le verre d'autrui ? C'est plus que rare, comme voie de contamination. Mais Fahrbaul m'a dit qu'en l'état actuel des recherches, on ne peut pas incriminer à tout coup les relations sexuelles, que c'était comme du temps du Saint-Esprit : on pouvait se retrouver avec le Sida sans avoir couché.

Il connaissait ainsi le cas d'une bonne sœur, méchamment exclue par sa communauté, alors que la pauvre... Je vous passe le reste de nos infâmes plaisanteries !

— Ça n'est pas moi qui gagne, ce sont les Français, dis-je à Bob en enfourchant notre Sidada favori ! (Pas mal, celle-là !) Ce sont les Français qui ont eu le courage et la discipline de ne faire qu'un seul corps uni face à l'ennemi...

Sous l'œil ironique de Bob, mon petit discours tiré des Mémoires du maréchal Foch avorta misérablement :

— Je veux dire que si les Français n'avaient pas tenu bon devant bobonne, eh bien, l'ennemi n'aurait pas commencé à régresser par-delà nos frontières...

— Et toi ? demanda Bob.

— Quoi, moi ?

— Ta bobonne à toi ?

— Oh ! moi...

— Tu t'es fait avoir ?

— Hélas non ! Elle ne m'a pas eu et je ne l'ai pas eue non plus...

— Raconte.

C'était la première fois que Bob s'intéressait à mes fredaines. Depuis que j'avais quitté Ida, écharde dans ma chair, mes histoires de femmes, il s'en moquait comme des siennes ! Et quand je m'obstinais à y faire allusion, il les appelait mes « tricoteuses » (d'écharpe, bien entendu) ou mes « points de croix » !

Cette fois, je lui dis tout.

Ce qui m'était passé par l'esprit. Et par le cœur.

— En somme, il te la faut..., conclut-il, soudain rêveur.

— Qui ? lui dis-je, ayant pour mon compte perdu mon propre fil.

— La femme. Les femmes. Une femme...

— Écoute, Bobo, ça n'est pas parce qu'en ce qui te concerne...

— Qui te parle de moi ?

Son regard devenu froid comme une lame, aussi étroit qu'une jalousie, m'arrêta net.

Il valait mieux causer de quelque chose, j'allais dire de neutre, alors qu'il s'agissait du Sida...

Là aussi, c'était la première fois que nous en parlions à fond. Était-ce parce que nous nous trouvions rue des Deux-Ponts, sur une île, l'île Saint-Louis ? Lieu protégé et en même temps hors tout. Hors frontière.

— Je ne suis pas de ton avis, me dit Bobo. Ça n'est pas une affaire d'"expiation", le Sida. Un moyen pénitentiel de "racheter" les camps de concentration... Là, tu te laisses avoir par tes obsessions personnelles. Ce qui est le cas de tout le monde, et surtout des fanatiques, face à une situation imprévue... Les religieux, eux, pensent que c'est la faute à la libération sexuelle, et les Russes celle des Américains !

— Et toi ?

— Moi, je pense qu'il n'y a pas à avoir de culpabilité. C'est beaucoup plus drôle que ça !

— Plus drôle ?

Alors mon Bob, retrouvant sa meilleure veine comique, l'écharpe à carreaux battant au petit vent frisquet qui venait de se lever sur la Seine et qui, enfilant le tournant des quais, arrivait en plein jusqu'à nôus, ce qui fait que j'ôtai mon Burberry pour l'installer sur les épaules de mon copain rémissionnel — j'aurais donné ma vie pour qu'il pût rester comme ça jusqu'à la fin naturelle de ses jours ! — m'expliqua son point de vue :

— Le Sida est là pour obliger, de gré ou de force, les pays riches au partage ! C'est un virus fiduciaire ! D'après les banques, il y a trop de liquidités, c'est-à-dire de monnaie liquide, dans le monde, et pas assez d'investissements. Alors c'est cette voie, la voie liquide qu'a prise le Sida pour contraindre l'Europe, en fait tout l'Occident, États-Unis et Russie compris, à partager avec le tiers-monde et les pays en voie de développement. Un euphémisme qui signifie « désespérément sous-développés »... Et ce partage, le partage du mal — à défaut du partage des biens ! — a lieu sous les auspices de l'amour... De la grande caritas amoureuse ! De l'orgie, quoi...

L'ange de Reims n'aurait pas mieux relevé les coins de sa bouche de pierre avant de continuer son étrange sermon. Bob avait d'ailleurs les yeux au loin, et au loin, comme par hasard, se trouvait le transept de Notre-Dame (son « cul », pour les non-initiés).

— Depuis le temps qu'on le leur répète sur tous les tons, aux pays riches, qui en sont à

brûler de rage leurs surplus, bientôt leurs billets
de banque, qu'ils ne peuvent pas tout conserver
dans des coffres et des silos ! Si ce n'est par
morale, au moins dans leur propre intérêt il
faut que ça court, l'argent et les biens de
production, pour que la circulation économique
reprenne... Eh bien, voilà que le partage de ce
à quoi ils s'attendaient le moins, celui de la
mort, leur est imposé ! Par la nature, en plus,
cette salope !

Là, le sourire s'est transformé en rictus :

— ... Et par une voie qu'ils n'avaient pas
songé à interdire, qu'aucun barrage douanier
n'est en mesure de fermer, la voie du sexe et
du sang !... Désormais, la route que prenaient
nos ancêtres pour aller dépouiller les peuples
primitifs et les continents lointains, la route de
la soie, la route de l'or, la route de l'ivoire et
de l'ébène, fait enfin retour ! Elle est devenue
la route du sang contaminé...

Là, je voulus faire le raisonnable, peut-être
parce que je tremblais un peu dans mon léger
costume d'Européen mal adapté au vent noir
de l'Histoire.

— Serais-tu en train de me dire que c'est la
sous-alimentation chronique qui a permis au
virus du Sida de muter, comme sur un tas de
fumier, et d'atteindre à cette virulence ? Dans
une sorte de renvoi, de hoquet vengeur de la
misère ? C'est ça que tu crois ?

— Je ne crois rien, moi, mon vieux... Personne ne croit rien, demande à Fahrbaul ! Je
fais comme lui, comme toi : je constate. J'observe. Et, pour mieux observer, je me suis même
payé une première loge...

— Oui, je vois, dis-je sans parvenir à sourire à ce qui voulait être une bien bonne.

En fait, j'avais plutôt envie de pleurer. La lucidité de cet être diaphane avait quelque chose de terrifiant. De pathétique. Il avait eu raison de me parler de Zorn. A croire que lorsque le corps, réduit à néant, commence à cesser d'être opaque, on est sur le point de tout comprendre. De tout envisager.

— Et ce que je constate de mon avant-scène, c'est qu'aucun barrage douanier, aucune taxe à l'importation, aucune fouille même poussée, ne peut empêcher ce que le tiers-monde nous expédie clandestinement, d'un voyageur l'autre, de parvenir sans encombre jusqu'à nous !...

— Et les analyses de sang ?

— L'incubation peut durer jusqu'à six mois... Six mois de quarantaine pour chaque type qui est allé faire un petit voyage d'affaires ou de vacances, tu imagines l'accélération des transactions économiques et touristiques. C'est le retour à Christophe Colomb et même en deçà... Non, le mouvement est en marche, rien ne peut l'arrêter ! Ce qui fait que si ça continue à ce rythme, la balance des paiements, qui était si considérablement déficitaire en notre faveur...

Il fut pris de l'une de ses affreuses quintes de toux qu'il essaya d'étouffer dans son écharpe. Il en ressortit non pas exténué — comme je m'y attendais — mais avec un sourire que je ne lui avais pas vu depuis longtemps. Un sourire jusqu'aux deux oreilles !

Peut-être allait-il s'en sortir, après tout ? Surtout s'il continuait à rire... Il fallait que je le fasse rire ! J'avais bien commencé, avec mon ministère du Sida : le rire, paraît-il, est le meilleur des remèdes, parfois le seul dans les cas désespérés. Ça s'est vu. Le rire peut faire des miracles.

— C'est la meilleure farce de l'Histoire, qui pourtant ne manque pas d'humour ! La dernière étant l'accession au rang de manitous et de rois du monde, grâce à leur pétrole, de ceux qui n'étaient encore que des bicots il y a moins de vingt ans... Maintenant, ce sont les miséreux du tiers-monde qui gagnent à la grande loterie du hasard planétaire ! Grâce au Sida, la balance des paiements va très rapidement se retourner en leur faveur ! continua Bob, l'œil plissé par la plus grande vague de rigolade à l'avoir jamais submergé.

Mais moi, je ne la partageais pas, pour une fois.

Ce dont il n'avait pas l'air de se soucier, ni même de s'apercevoir. Il me tapota la main :

— T'en fais pas, vieux, l'équilibre des échanges est en train de se rétablir entre les sous-développés et nous ! Pour ce qui est de partager, en ce moment, on partage, et à tous les niveaux ! Dans tous les milieux ! Il n'y a pas un département français qui ne soit déjà touché... Je veux dire qui ne soit "servi"... Consulte les statistiques ! L'arrosage n'oublie personne !

— Et ma campagne de déculpabilisation, que devient-elle dans tout ça ?

— T'inquiète pas pour la consommation, mon grand, tu peux le dire de ma part à J.M.P.P. ! Plus les gens voient les effets de la famine à la télévision, plus on leur montre de catastrophes, plus on leur explique qu'on vit sur une usine atomique qui a commencé à fuir, et plus ils sont convaincus qu'il faut s'employer, comme disent les ingénieurs de la centrale de Creys-Malville, à "gérer le cœur du réacteur"... Comme on a parlé de "gérer la crise", autrefois ! Ou maintenant de "gérer le Sida" ! Et comment on la gère, la culpabilité ? En consommant, mon vieux, en consommant... Crois-moi, plus ça va aller mal, plus les Français et autres Occidentaux vont se précipiter sur leurs réfrigérateurs et dans les grandes surfaces... Pour tenter de remplir le « petit creux » qu'ils se sentent soudain au ventre ! La culpabilité, pour la consommation, c'est l'excellence, comme diraient nos augustes confrères... Car la culpabilité, ça creuse, ça creuse...

Il devait avoir raison. Car j'ai commandé une autre bière. Et puis un sandwich au jambon. Et ensuite j'ai emmené Bob au resto. Le meilleur que j'aie pu trouver dans ce quartier où l'on est plutôt bien servi, côté bouffe. Et Bob s'est tapé du Perrier-Jouët avec moi, de la plus grande année...

Et ce que nous avons dit, inventé, blagué, sur et à propos du Sida, n'est strictement pas répétable !

— Ce que c'est bon, une rémission, m'a dit Bob quand on s'est retrouvés dans la rue, légèrement vacillants. Tellement bon que s'il y avait une femme dans le coin, tiens, je me la ferais...

J'étais content !

Il avait oublié qu'il avait le Sida.

Qu'est-ce que c'est que ce picotement autour de mon cou ?

Est-ce que les aristocrates, dans la prison du Temple, portaient des foulards de soie autour de leur gorge, les derniers jours avant l'échafaud ? Cela devait quand même leur faire drôle, de se dire qu'ils avaient déjà un pointillé imaginaire tatoué à l'endroit où la tête et le corps se rejoignent...

A l'endroit des ganglions, où je sens comme un picotis.

Je tâte.

Rien.

Rien encore.

La mort. Sous forme d'une petite boule douce, comme celle que les femmes découvrent, un soir, un matin, ou dans leur bain, en se tâtant les seins.

Je me souviens d'une femme merveilleuse qui s'était découvert, comme ça, un cancer au sein, à cinquante ans, un matin, dans son lit, pendant qu'elle travaillait (elle était écrivain). Et à l'amie qui était venue la voir peu de semaines avant sa mort, racontant une fois de plus sa surprise, sa découverte, elle avait dit :

— En une fraction de seconde, j'ai su que j'étais condamnée. Déjà morte. Ou presque. Et je regardai la chambre, les meubles, mon décor familier. Rien n'avait changé, et pourtant je venais de partir à l'instant, très loin, pour toujours... Tu vois, j'avais raison.

Peu de temps après, elle était morte.

Oui, ça doit faire drôle. Au point qu'on doit se raconter n'importe quoi. Se dire que la vie n'est qu'un rêve. Qu'on s'est imaginé qu'on était vivant et qu'en fait, on ne l'avait jamais été...

La femme près de moi soupire.

Et je comprends soudain que ce sont ses cheveux qui me picotent. Et ses bras qui me donnent le sentiment d'avoir une écharpe autour du cou. Qui m'étouffent un peu.

Nous sommes nus. Dans son lit. J'ai aimé cette chambre, hier soir. Je l'ai trouvée claire. Le soleil couchant entrait à flots par la porte-fenêtre. Sur le balcon, dans de grands bacs en ciment, commencent à pointer des jonquilles et quelques géraniums roses, tout heureux, semble-t-il, de jouer leur rôle municipal : fleurir Paris !

Oui, tout est paisible.

Tout pourrait être parfaitement agréable.

Si seulement.

Si seulement je n'avais pas oublié cette saloperie de boîte de préservatifs en changeant de
veste. Et cette idiote de fille qui n'en avait pas...

— Mais je t'assure, m'a-t-elle dit, on ne risque
rien ! Je suis saine ! Tous les types avec qui j'ai
fait l'amour aussi... Rien que des copains ! Aucun
ne se pique... en tout cas, plus !... Et ils ne sont
pas homos, je le saurais, tu penses...

Elle avait ri en agitant au-dessus de moi une
poitrine fameuse. Je m'étais douté de la géné-
rosité de ses seins rien qu'à travers le mince
tissu de sa robe de soie noire qui laissait deviner
un fort soutien-gorge à armature.

J'aime les poitrines croulantes, comme les
lilas, chez les filles très jeunes. Et je convoitais
cette chair un peu molle dans laquelle les
pouces devaient laisser des bleus. Elle était déjà
mouillée de partout...

Hé là, Charles, attention, c'est par les liquides
que ça s'attrape !

— Enfin, qu'est-ce que tu as ?

— Rien.

— Je n'aurais jamais cru que ça t'arriverait...
Un type comme toi ! La façon brutale dont tu
m'as embrassée quand tu as arrêté la voiture...
Ça m'a mise dans un état... D'ailleurs, tu vois,
ça continue...

Et de me mettre la main bien en place.

Moi aussi, j'avais pris sa main pour la mettre
en place, tout à l'heure dans l'ascenseur. C'est

que je n'avais pas encore mis mon autre main dans la poche de ma veste ni constaté l'absence de la boîte à capotes.

Je n'avais pas encore capoté.

Maintenant, c'était fait. Complètement. Quelque chose en moi refusait de raidir, refusait de pénétrer.

Se refusait absolument à prendre le moindre risque !

La fille m'avait dit : « Écoute, dormons un peu. Souvent, ça s'arrange au réveil... »

Elle avait dormi. Moi pas. Ou plutôt, j'avais somnolé...

Ce qu'on arrive à inventer, quand même, quand on a oublié ses capotes anglaises. Pour un tout petit bout d'élastique si utile pour faire l'amour à la française...

Faisons un rêve !

J'en avais fait plusieurs.

La frustration est le terrain du rêve, c'est bien connu.

A l'aube, je me suis levé à tâtons et je suis allé sur le balcon considérer les toits de Paris sous lesquels l'amour bohème devait lui aussi avoir un peu mal à la patte, ces temps-ci...

Mon escapade avait pourtant joliment commencé. C'est sa voix qui m'avait plu. Aiguë, avec des à-pics qui vous faisaient un peu serrer les dents, comme à Coney Island, dans le *scenic-railway*.

Côté pile, une croupe pénétrable. Côté face, l'impression facile se confirmait. C'était une blonde décolorée, autrement dit une brune qui ne s'assume pas. De sa bouche en fleur sortait une agile langue rose qui n'arrêtait pas de se lécher les lèvres et les dents, comme un petit narcisse saliveur qu'elle était !

Je l'avais saisie par les deux pans de son écharpe — elle avait les mains sur les épaules du copain avec qui elle faisait semblant de danser — et elle m'avait dit :

— Elle vous fait envie, n'est-ce pas ?

— Qui me fait envie, à votre avis ?

— Eh bien, mon écharpe... C'est le cadeau d'un copain... Pas celui-ci, un autre !... Ça fait classe, hein ?

Je tenais le bon fil, le reste avait suivi facilement. Comme si, en attrapant l'écharpe, j'avais tiré sur la chevillette...

Il faisait un peu froid et presque jour. Avant de monter sur le balcon, je m'étais ceint les reins de ce qui m'était tombé sous la main.

L'écharpe.

Son écharpe à carreaux.

Je devais avoir bonne mine, dans le petit matin, tout nu, avec cette écharpe nouée autour de mes reins, comme si j'étais le Christ !

Plus jamais je ne chercherai à tromper la femme avec qui je vis ! Même quand elle est absente de Paris. Plus jamais.

En tout cas, plus jamais sans emporter avec moi mon petit nécessaire de campagne.

Car on ne peut pas compter sur les femmes. Les femmes sont légères...

Ça y est, je suis en train d'attraper froid ! Je vais avoir mal à la gorge et mes ganglions vont gonfler...

Je dénoue l'écharpe et j'éternue violemment dedans.

Je me débrouille mal avec l'amour.

Ida sans Charles

Maintenant que j'ai repris mon métier, que ça marche, et même plus fort que lorsque j'ai rencontré Charles, j'ai le sentiment d'être seule au milieu d'un cercle de lumière.

Non que je manque vraiment d'hommes depuis que je suis à nouveau ce qu'on appelle « libre ».

Au contraire ! Ils sont nombreux à me téléphoner, m'emmener dîner ou au spectacle. Et ils me parlent énormément.

J'apprends très vite à reconnaître leur voix au premier « allô », ils en sont flattés. C'est qu'ils ne savent pas que mes oreilles s'affinent à mesure que je perds mes autres sens.

Ainsi, je n'ai plus d'odorat.

Aucun d'entre eux n'a pour moi d'odeur, alors que je reniflais la moindre trace de la présence de Charles, dans un coin d'oreiller ou sur un linge.

Au printemps, je vois se balancer les lilas sans qu'ils lâchent vraiment de parfum, du moins dans ma direction. En réalité, je ne fais plus la différence entre l'hiver et l'été, la nuit et le jour.

Toutefois, je prends beaucoup de photos, dans la rue, chez moi. On dirait que j'ai à cœur de conserver une trace de ma vie actuelle — pourtant si monotone —, car elle est l'héritière de notre vie à deux. Le banc où nous nous sommes assis côte à côte, l'objet acheté en commun, une lumière, un air partagés...

On me dit : « Oublie ». Non, je contemple, je médite.

Comme c'est fragile, un grand amour !

Au lit, pourtant, les hommes sont des chiens comme les autres, dans cette nuit de l'être qui tombe tous les soirs. Et je pense parfois que ceux qui me sortent attendent de moi un geste d'appel. De consentement. Que c'est à moi de prendre l'initiative et que je devrais m'y mettre. Un soir, au cinéma.

Ou chez moi, après le dîner.

Par qui commencer ?

Le grand, un peu voûté, l'œil vif sous ses sourcils en broussailles. Ou le petit plus tendre qu'il n'y paraît, toujours sur le qui-vive ? Ou alors le blond, si fin, perdu dans ses fantasmes, semble-t-il, et que je déshabillerais lentement sans qu'il paraisse s'en apercevoir.

C'est doux, parfois, de traiter les hommes comme de grandes poupées ! Mais je préfère encore me laisser faire.

Ce soir, je sors avec Adolphe. Un bel homme aux cheveux longs et plats. J'ai toujours aimé les hommes à femmes ! Une faiblesse qui ne m'ôte pas ma lucidité... J'aime respirer sur eux les autres femmes, et, surtout, j'apprécie leurs gestes de techniciens du corps. Le professionalisme d'un don juan est aussi plaisant que celui d'un très grand médecin.

Même s'il ne vous connaît pas encore, le « coureur » est déjà familier de l'animal en vous. Et l'animal — votre corps — réagit comme un cheval que vient d'enfourcher un cavalier expérimenté. S'il se cabre et rue un peu, c'est de plaisir ! Pour en avoir plus, de la main, de la jambe. Du poids, aussi. Le poids d'un homme sur la femme en moi, c'est cela qui me manque !

A peine étions-nous au restaurant qu'Adolphe commence son tour de piste. Je lui en suis reconnaissante, car nous n'avons pas de temps à perdre, il me connaît seulement de réputation et rien n'est plus trompeur que la réputation d'une femme...

Il doit se faire sa propre idée de moi.

Cela m'amuse autant de le voir opérer que lorsqu'un bon maître d'hôtel vous passe les plats dans la plus parfaite tradition... Adolphe, en hors-d'œuvre, choisit justement de me servir la province... Il a raison : l'évocation des pavés inégaux, vieilles fontaines et toitures blondes, m'émeut toujours. L'Hôtel du Cheval rouge — où il dit avoir passé la nuit dernière — m'ouvre ses lourdes portes sculptées, et déjà je m'abolis dans la sérénité de longs corridors cirés...

Et puis nous nous retrouvons à Hong Kong — pour la beauté du nom, j'imagine, et le vertigineux contraste entre les buildings modernes et les sempans tremblants sur la rade... Tel Humphrey Bogart vêtu de lin blanc, c'est en Laureen Bacall qu'Adolphe m'entraîne dans un tripot d'où nous ressortons, à l'aube... à Istanbul !

Après un thé au jasmin vite bu, la traversée du marché en plein vent débouche sur Tahiti et le chapelet des îles. Pacifique... Océanie... La terre est empoussiérée d'îles comme le ciel d'étoiles. Parmi elles, il y a la nôtre, à en croire Adolphe. Elle nous attend quelque part dans le firmament maritime... Au passage, mon cicérone juge bon de m'apprendre qu'il revient effectivement de Sainte-M...

Mon oreille se dresse.

N'est-ce pas là que se trouve... Je sors le nom d'une célèbre rade... mais ça n'est pas le vrai mot que je voulais prononcer. Le vrai mot, c'est... Sida !

On m'a dit qu'il infeste les lieux. Qu'on n'y parle d'ailleurs que de ça, dans les hôtels de luxe, sur la plage.

C'est la grande « psychose ».

Le rire.

Avant les pleurs.

Mais pas de fumée sans feu.

Je recule mon siège capitonné de velours de quelques centimètres.

Adolphe se penche en avant pour compenser. C'est le signal. Qu'il est conquis et que je n'ai plus qu'à me laisser faire. Traiter. Si je veux.

Mais est-ce que je veux ?

Sainte-M..., a-t-il dit ?

Évidemment, il y a cet article d'hygiène que chacun connaît désormais et que je peux demander. Exiger.

C'est le dernier chic. Aussi bien porté que l'écharpe à carreaux dont tout le monde s'affuble en ce moment.

Une sorte de coquetterie de l'amour, le dernier vêtement non retiré quand tous les autres le sont, et qu'on conserve jusqu'au bout comme autrefois les reines de France leur chemise.

Un petit rien qui fait toute la différence.

Une marque de familiarité, mais aussi de respect. On est intimes, mais pas tant que ça. Qu'un dernier voile de pudeur, d'ailleurs transparent, nous sépare encore quelque temps, ma bien-aimée...

Cantique des Cantiques pour temps modernes !

Mais Adolphe s'y pliera-t-il ?

Je trouve son regard bien aigu, soudain, et cruel. Avec cette ombre de barbe qui — vu l'heure tardive — a commencé à lui pousser.

Et puis, je n'en ai pas chez moi ! J'ai oublié d'en acheter — ou était-ce un refus inconscient ? — comme j'avais pourtant prévu de le faire, à la pharmacie. Ou à la grande surface.

Et rien ne dit que cet homme-là se balade avec son vêtement de nuit dans sa poche ! Reste les drugstores...

— Vous ne m'écoutez pas, Ida ! Ce que je dis vous ennuie ?

— Mais non, Adolphe, voyons, pas du tout ! Vous me parliez des couchers de soleil, si rouges dans l'hémisphère sud, et de cette espèce de singes qui, d'arbre en arbre...

N'a-t-il pas dit qu'ils étaient verts ?

— Je vous comprends, notez ! Une Parisienne telle que vous préfère la gazette de Saint-Germain-des-Prés à celle du désert des déserts...

— Comme vous me connaissez mal, Adolphe !

C'est vrai. Nous ne nous connaissons pas, lui et moi. Et même pas du tout. Je sais qu'il court les femmes, aime les chevaux, le voilier, la finance, collectionne les bronzes d'art... Lui, que sait-il de moi ? Il faudrait que je lui raconte...

Tiens, pourquoi pas ? Cela passera le temps...

Et me voici me lançant dans... Eh bien, dans rien de moins que le récit de mon dernier amour, si beau, si douloureux... Et de cette atroce rupture ! En somme, d'une passion.

Je vois son regard s'affoler.

Certes, cela l'intéresse, mais...

Eh bien oui, il perd sa proie !

Même un homme à femmes, à moins d'être

le dernier des mufles, ne saute pas les deux mains en avant sur la veuve, encore inconsolée, d'un sentiment quasiment sublime !

« C'est qu'elle l'aime toujours, la garce ! » Je vois bien que telle est sa conclusion.

Bien sûr, il est ému. Tous les hommes sont troublés par une femme amoureuse d'un autre. Et mon amour pour Charles rend Adolphe jaloux. Furieux.

Soudain pressé...

Car il faut quand même qu'il la fasse, sa petite affaire, et si ça ne peut pas être avec moi, ce sera sans moi !

L'addition est expédiée, le retour aussi, et j'ai droit, devant ma porte, à deux bons gros baisers sur les joues. Bien claquants, sonores et fraternels.

J'ai à peine commencé à taper mon code qu'il démarre en trombe ! Mais il me fuit, ma parole, comme si c'était moi la contagieuse ! Quel toupet...

Devant la glace, je me considère longuement : toute de noir vêtue, deux diamants aux oreilles. Si blanche. Je n'y étais pas, moi, dans son paradis du Sud, à me bronzer sur des plages infestées d'on ne sait quoi ni qui !

Ah, que je suis irritable, ce soir. Irritée.

Mais saine, aussi, et sauvée.

Rendue à ma désolation.

Ça n'est pas à Dieu que j'ai envie d'adresser une prière, c'est aux scientifiques : dépêchez-vous !

Adèle

Son regard a cherché le mien, puis a renoncé. Il contemplait quelque chose à l'intérieur de lui-même et son sourire n'était plus que pour lui. Pourtant, je m'étais imaginée qu'il mourrait en me redisant « je t'aime », au dernier moment, comme il me l'a répété si souvent quand nous étions seuls et que j'avais demandé à assurer la garde de nuit.

Nous nous tenions la main des heures entières.

— Tu n'as pas peur, Adèle ?

— Peur de quoi, Lucien ?

— D'elle, de la m...

— Tu la connais ?

— Non.

— Alors ? On ne peut pas avoir peur de ce qu'on ne connaît pas...

— Mais si, justement, grosse bête ! Puisqu'on a peur du noir...

— Eh bien, monsieur l'imbécile, la mort ça n'est pas noir, justement... Tu te rappelles Christophe, chambre 18 ? Celui qui est ''parti'' plusieurs fois et qu'on a récupéré ? Il disait qu'il avait vu une immense lumière. Elle était si belle qu'il ne voulait pas revenir... Et même, ça l'énervait de voir toute l'équipe de la Réa s'activer autour de lui, avec l'appareil à massage cardiaque, les piqûres... Il aurait voulu qu'on lui fiche la paix.

— C'est bon, la paix, c'est vrai. Quand on n'a pas mal.

Je veillais beaucoup, avec l'aide de l'interne, à ce qu'il n'ait jamais mal. Et, le dernier jour, je l'ai fait propre. Et beau. Avec « son » foulard de soie, le bleu marine, corail et jaune, qu'il m'avait donné à conserver. Pour l'occasion. Le tout dernier cadeau qu'il avait reçu d'Albert, lequel ne venait plus soi-disant pour ne pas faire trop de peine à Élie, son nouveau, mais, en fait, je le voyais à ses gestes (j'ai l'habitude), parce qu'il avait peur de la contagion !

Quand il embrassait Lucien, le baiser claquait mais ses lèvres ne touchaient pas la peau. C'était en l'air ! Et puis il faisait semblant d'aller considérer une fois de plus la vue qu'il connaissait par cœur, et pendant qu'il s'exclamait : « Quel endroit magnifique ! », il passait rapidement sa bouche sur sa manche... Je me mettais entre eux pour que Lucien ne voie rien.

J'ai tout de même surpris un éclair de moquerie dans les yeux de Lucien. Cela ne lui faisait pas de peine, la défection d'Albert, du moment qu'il m'avait. N'empêche qu'il tenait à son foulard de soie. « C'est le foulard de Marbella ! », disait-il, comme si Marbella avait été une femme...

La femme, c'était moi.

— Il y a eu toi et ma mère, répétait Lucien.

— Il te reste moi...

— C'est vrai ! Pauvre Maman, heureusement qu'elle ne me voit pas comme ça !

Et puis, au dernier moment, c'est elle qui a dû prendre ma place, car il ne m'a plus vue. Il m'a abandonnée avant même d'être vraiment parti.

C'est pour ça que j'ai accepté de déjeuner avec Charles Caule, qui jusque-là me faisait peur. En fait, je le trouvais « voyeur », toujours à errer dans le Service, et je n'aime pas ça. Les autres membres de l'équipe n'appréciaient pas non plus. Sauf Fahrbaul, qui riait avec lui. Fahrbaul, d'après moi, cherche toutes les occasions pour s'absenter, tout en ayant l'air d'être présent. Sa vie n'est pas totalement parmi nous. D'ailleurs, il ne s'intéresse à aucune des femmes de son équipe, ni du service des soins ou de la Réa. C'est un chercheur plus qu'un soignant. Aucune mort ne semble vraiment le faire souffrir, comme s'il l'avait tellement prévue qu'il ne faisait que constater, peut-être même avec satisfaction, la sûreté de son diagnostic. Son « programme » fonctionne...

Peut-être aussi parce qu'il ne touche jamais les malades. Moi, je suis là pour ça et j'aime. Ils sont tellement reconnaissants. J'ai lu des livres sur ces religieux et religieuses qui vont soigner les lépreux et qui n'en reviennent jamais. Tant d'amour est en jeu. Est échangé. Ruisselle...

Si Charles ne m'avait pas tout de suite donné le sentiment qu'il me désirait à ce point-là, ce jour du restaurant, quand il a pris ma main sur la table, il ne m'aurait pas intéressée. Il a fallu qu'il en fasse « plus » qu'eux. Qu'il m'arrache à eux, mes malades, littéralement. Au début, dans la baignoire, ça n'était pas ma peau, ma chair, tout cet attirail qui d'habitude « arrête » les autres, c'était tout mon être, mon enfance, aussi, mon destin, qu'il caressait. Et notre avenir. L'enfant.

Je ne veux pas que l'enfant tombe malade.

C'est pour ça que je me suis mariée. Dès qu'il sera en âge de comprendre, je lui apprendrai les précautions. J'ai entendu Carlos, le chanteur à la télé. Il parlait de « petits préservatifs pour fourmis »... Pour rire. On devrait pourtant en fabriquer à l'intention des enfants, afin qu'on puisse leur apprendre très vite, très tôt, à s'en servir, comme on leur apprend à s'habiller et à mettre des gants dans les grandes occasions. Ou quand il fait froid. Ils sauraient qu'on ne rencontre pas une autre personne sans avoir enfilé son préservatif, que ça ne se fait pas, quand on est un garçon. Une forme de politesse. Un réflexe.

Mon enfant, je l'éduquerai à sauver sa peau.

En ce qui me concerne, ça m'est égal. Mais j'ai besoin de rester en vie pour l'aider, lui. Le vaccin n'est pas pour tout de suite. Alors, d'ici là, rien. Je sais trop ce que c'est. J'ai vu la maladie de trop près. J'aimais bien Lucien, Christophe et les autres, mais je n'aimais pas leur mal. C'est trop horrible. Je suis, je serai absolument fidèle. C'est facile, quand on sait pour qui.

Et Charles, est-ce que je peux compter sur Charles ?

On ne peut jamais compter sur personne, dans ce domaine-là. Je le sais, je l'ai toujours su. Et je tremble.

Si Charles me trompait, si Charles attrapait la maladie... Si Charles me contaminait et me rendait dangereuse pour l'enfant...

C'est simple, je le tue.

La fille à l'écharpe

Quand ils m'ont dit : « Voilà, Mademoiselle, nous vous avons convoquée pour que vous le sachiez. L'examen, malheureusement, est positif. Vous êtes séropositive », eh bien, je n'ai rien ressenti !

— Ça veut dire quoi ? ai-je calmement demandé. Que j'ai le Sida ?

— Non. Pas exactement. Vous avez été contaminée, mais, actuellement, vous n'êtes pas malade. Vous ne le serez peut-être jamais, nous allons y veiller avec vous. Mais vous êtes contagieuse. Vous pouvez transmettre la maladie à d'autres sans l'avoir vous-même.

— Comment ça ?

— Si vous avez des relations sexuelles.

— Vous voulez dire qu'il faut que je ne baise plus ? Moi ?

— Il vaudrait mieux, en effet, que...

J'ai vu leur regard. Gêné. Ils étaient deux, un homme et une femme. Jeunes. Ils avaient l'air de se prendre pour des juges. Lui était en blanc, elle en costume de ville. Chic. Un ensemble en lainage bicolore avec une grosse ceinture cloutée... Je m'en souviens parfaitement bien. J'ai failli lui demander où elle l'avait acheté. Il est évident qu'elle cherchait à séduire, on ne s'habille pas comme ça juste pour soigner les gens.

Elle est tranquille, elle, elle n'est pas « séropo ». C'est comme ça qu'ils disent, entre eux.

Je ne faisais plus partie d'eux.

— En tout cas, vous ne devez plus approcher
qui que ce soit sans d'absolues précautions. Il
ne doit y avoir aucun contact de sang — pas
plus le sang des règles que celui de la circulation générale. Ni contact de salive ou de sécré-
tions vaginales.

Tu parles d'un business !

Je l'ai regardé en souriant légèrement. Il était
beau, avec son regard bleu gris et des cernes de
la même couleur. Ses cheveux légers, noisette,
étaient presque blonds sur les tempes. Soleil,
sans doute, il lui restait un fond de hâle. Il a
bougé et j'ai vu ses biceps, bien formés, sous la
blouse. Ce sont surtout les muscles du dos qui
me troublent, chez les hommes, peut-être parce
que je les sens sous mes mains quand ils sont
en moi.

Je me serais volontiers imaginée au lit avec
ce type-là. Il a dû le sentir, il a détourné le
regard, s'est raclé la gorge.

— De toute façon, le docteur Corinne Clother
va vous expliquer en détail le traitement à
suivre.

— Le traitement pour qui ? Pour moi ou pour
les autres ?

J'aurais mieux fait de lui dire que je suis née
à Dœuil-sur-le-Mignon, en Charente-Maritime —
c'est vrai ! —, d'habitude ça fait rire, plutôt que
de lui poser la moindre question. Il a repris son
assurance de toubib.

— Pour l'instant, Mademoiselle, vous n'êtes
pas malade. Vous avez été contaminée par un
contact, ancien ou récent, c'est difficile à savoir,
mais il ne faut pas que cela se reproduise. Si
vous êtes recontaminée par le virus, alors là,
vous risquez d'avoir immédiatement la maladie.

Et vous devez savoir que, pour l'instant, elle est très difficile à soigner !

— Dites tout de suite qu'elle est fatale !

Silence.

Puis il a repris d'une voix docte, mais un ton au-dessous :

— Avez-vous idée de la personne qui vous l'a transmise ? C'est quelqu'un qui peut être malade sans le savoir, il faut l'avertir ! Vous devez lui parler, le prévenir...

Tout ça parce que je me suis fait faire un examen de sang pour vérifier si j'allais bien supporter mon nouveau régime amaigrissant ! Rien qu'avec cette conversation, j'allais déjà avoir perdu cinq cents grammes... Si ce n'est plus.

Je me suis mise à rire.

— Vous ne vous rappelez pas de qui il s'agit ? a-t-il insisté, l'œil limpide pour que je ne le prenne pas pour un flic.

— C'est pas ça... c'est que...

Et puis, il m'a énervée avec ses airs : « Je le sais que je suis beau, mais je ne suis pas pour toi, ma petite ! »

— C'est que ça fait beaucoup de monde !

J'ai croisé mes jambes très haut, je n'ignore pas qu'elles sont superbes.

— Je suis très courue, vous savez !

C'est lui qui a repris la parole le premier.

— Alors, vous courez beaucoup de risques !

J'aurais bien aimé en courir avec lui.

— C'est la vie, ça, non, Docteur ?

— Oui, bien sûr, mais vous en faites courir à d'autres...

— Ça, c'est l'amour...

Quand je les ai quittés, j'étais en fureur. Quelle

bande de lâches ! D'insectes. Cet homme et cette femme, jeunes, beaux — même elle, la Clother, n'est pas mal —, incapables de voir plus loin que le bout de leur préservatif !

Après tout, la vie, ça dure ce que cela dure, mais pendant ce temps-là, au moins, que ça soit la fête !

Il faisait beau. Je suis allée au Thé Dansant, et je m'en suis donné à perdre haleine, sur le parquet qui glisse juste ce qu'il faut, ni trop ni trop peu. Il y avait une odeur de sueur et de parfum mêlés dans l'air.

C'est là que je l'ai rencontré. Il me suivait de l'œil déjà depuis un moment quand il s'est approché de moi. J'étais en train de danser avec Sylvain. Je ne sais plus ce qu'on a dit, mais j'ai compris qu'il était ferré. C'est à la Brasserie Lorraine que cela s'est décidé. Je m'y suis rendue avec une copine pour manger un morceau, et aussi parce qu'il m'avait dit qu'il y allait, après la fermeture du Thé Dansant. Il était déjà là, seul, à consommer des huîtres en lisant un journal du soir qu'il avait dû ouvrir à la page de la Bourse, tant il avait l'air sérieux. Faussement, en fait, car il ne cessait pas de quitter sa lecture pour glisser un œil vers la salle et l'arrêter sur moi. Je riais très fort, exprès, avec Claudine. Quand je ris, il paraît qu'on voit mes amygdales.

Puis j'ai compris ce qu'il fallait faire. Dire « on rentre » avant qu'il ne soit sorti, et faire comme si j'avais perdu mon ticket de vestiaire. J'ai fait durer pour qu'il ait le temps de payer son addition et de nous rejoindre. Après, il a pris les choses en main et j'ai retrouvé mon ticket. Claudine s'est gentiment laissé déposer.

Ce que je n'ai pas dit aux médecins, c'est que moi, j'ai besoin de chair. Eux sont peut-être végétariens, mais en ce qui me concerne, il faut que je touche, qu'on me touche, que ce soit chaud, sanguinolent même ; j'aime mordre et qu'on me morde. Je crie. On m'a souvent dit que personne ne crie comme moi. A ameuter les voisins ! Les miens ont d'ailleurs l'habitude, ils ne bougent plus.

Il s'appelle Charles, m'a-t-il dit.

D'habitude, je ne me trompe pas sur les hommes et sur ce que je peux en attendre. Mais là, la panne sèche ! A ma surprise totale. Il avait peut-être pris un médicament, cela arrive. Ou bien il est amoureux et il a cru se consoler de sa grande passion par un petit extra. C'est le coup classique : au moment de consommer, la maîtresse en titre refait surface dans leur tête, l'index levé et menaçant, et c'est eux qui ne peuvent plus rien brandir...

Je ne dirai pas que je n'ai pas été déçue. Énervée comme je l'étais. Et angoissée. Car c'est dans le lit que j'ai finalement commencé à avoir peur de ce qu'ils m'ont appris ce matin, au cours de la consultation. Et si c'était vrai que j'allais mourir ?

Je suis quand même trop jeune.

Et puis je ne sens rien.

D'ici là, j'ai bien l'intention de vivre. A plein.

Demain, j'ai rendez-vous avec Antoine. Et, après-demain, avec Roger. Il était là, ce matin, Roger, on s'en est donné avant de me rendre à cette fichue consultation où je n'aurais jamais dû aller ! J'avais l'esprit si libre, ce matin, si léger ! Et lui aussi. On n'est pas fidèles, Roger et moi, mais on s'en moque, parce qu'on le sait bien que c'est l'un avec l'autre qu'on va le plus loin au lit. Même si on n'est pas faits pour vivre ensemble, personne ne nous enlèvera jamais ça. On se l'est juré ! Même si on est mariés chacun de notre côté...

J'imagine la tête de Roger si je lui disais : « Mon vieux, maintenant, l'amour, c'est emmaillotté qu'on le fait ! Et plus de baisers profonds, interdit par la Faculté ! »

La crise de fou rire ! La rigolade !

Est-ce que je le lui dirai ?

Le type s'est levé et est allé sur le balcon. Il a dû croire que je dormais. Il a pris mon écharpe, celle dans laquelle Roger s'est essuyé ce matin. « Je te laisse un petit souvenir de moi pour toute la journée », m'a-t-il dit.

Ça m'a touchée, et je l'ai mise, l'écharpe à carreaux que m'a donnée Sylvain. Un autre de mes « baigneurs », comme je les appelle...

J'espère que ce type va attraper suffisamment froid, sur le balcon, pour avoir envie de venir se réchauffer dans le lit. Et me réchauffer par la même occasion. J'ai terriblement besoin d'être prise dans des bras, tout à coup. Car je ne peux pas me passer d'amour, c'est physique. Quand on m'aime, c'est comme si je me retrouvais tout petit bébé, sur le sein de ma mère, un sein immense gorgé de lait, de bon liquide tiède et nourrissant...

L'amour, c'est la vie.

Ça ne peut pas être, ça ne sera jamais la mort.

Et si Roger ne voulait plus de moi ?

S'il me disait : « Va pourrir ailleurs ! » Comme tous ceux qu'on parle d'enfermer sous prétexte de les soigner...

Ah la vache ! Le voilà qui se rhabille.

— Tu vas chercher des croissants ?

— Je ne savais pas que vous étiez réveillée... Je... J'ai un rendez-vous...

— Tu as bien une petite minute...

— Je crois que je n'ai pas l'esprit à ça, ce matin !

J'avais un peu rabattu le drap et il m'a regardée.

Comme si je n'étais plus une femme. Mais une sorte d'erreur.

— C'est parce qu'on a oublié les machins ?

— Quels machins ?

— Tu sais bien, ce qui fait qu'on reste chacun de son côté... Le paramour !

Là, il a souri et j'ai cru qu'il allait se laisser attendrir. Mais il a boutonné son dernier bouton, serré sa cravate.

— Une autre fois...

Il n'y aura pas d'autre fois.

J'ai mal jusque dans mes os.

Je pense à un vieux film avec Bette Davis. Elle est accroupie dans le jardin, elle plante des fleurs et, soudain, elle devient aveugle. Elle croit d'abord que c'est un orage, des nuages qui apportent l'ombre... Et puis elle sent encore le soleil, il y a du soleil sur ses mains. Alors elle comprend : ça vient d'elle...

C'est affreux ce qui m'arrive.

Adieu l'amour...

C'est encore pire qu'adieu la vie.

Table

Cet ouvrage a été réalisé sur
Système Cameron
par la SOCIÉTÉ NOUVELLE FIRMIN-DIDOT
Mesnil-sur-l'Estrée
pour le compte des Éditions Fayard
le 25 mai 1987

Imprimé en France
Dépôt légal : juin 1987
N° d'édition : 5143 – N° d'impression : 6976
35-33-7821-01
ISBN 2-213-02049-3

35.7821.8